INSTAGRAM, WHATSAPP E FACEBOOK
PARA NEGÓCIOS

INSTAGRAM, WHATSAPP E FACEBOOK
PARA NEGÓCIOS
COMO TER LUCRO ATRAVÉS DOS TRÊS PRINCIPAIS CANAIS DE VENDA

DVS Editora, 2021
Todos os direitos para a língua portuguesa reservados pela editora.

Nenhuma parte deste livro poderá ser reproduzida, armazenada em sistema de recuperação ou transmitida por qualquer meio, tanto na forma eletrônica quanto mecânica, fotocopiada, gravada ou qualquer outra, sem a autorização por escrito da editora.

O bônus em ferramentas oferecidos a quem adquirir o livro são de responsabilidade exclusiva do autor mediante o cumprimento dos termos por ele estipulados.

Projeto gráfico e diagramação: Joyce Matos
Capa: Carlota Flieg/Marcador Portugal
Primeira revisão: Alessandra Ângelo
Segunda revisão: Thaís Pol

```
Dados Internacionais de Catalogação na Publicação (CIP)
         (Câmara Brasileira do Livro, SP, Brasil)

Larrossa, Luciano
    Instagram, WhatsApp e Facebook para negócios :
como ter lucro através dos três principais canais de
venda / Luciano Larrossa. -- São Paulo : DVS Editora,
2021.

    ISBN 978-65-5695-022-8

    1. Facebook (Redes sociais on-line) 2. Instagram
(Redes sociais on-line) 3. Marketing digital
4. Marketing na Internet 5. Negócios 6. Sucesso em
negócios 7. Vendas 8. WhatsApp (Software de
aplicação) I. Título.

21-58185                                    CDD-658.8
           Índices para catálogo sistemático:

    1. Vendas : marketing digital : Administração   658.8
```

Nota: Muito cuidado e técnica foram empregados na edição deste livro. No entanto, não estamos livres de pequenos erros de digitação, problemas na impressão ou de uma dúvida conceitual. Para qualquer uma dessas hipóteses solicitamos a comunicação ao nosso serviço de atendimento através do e-mail: atendimento@dvseditora.com.br. Só assim poderemos ajudar a esclarecer suas dúvidas.

LUCIANO LARROSSA

INSTAGRAM, WHATSAPP E FACEBOOK
PARA NEGÓCIOS

COMO TER LUCRO
ATRAVÉS DOS
TRÊS PRINCIPAIS
CANAIS
DE VENDA

www.dvseditora.com.br
São Paulo, 2021

SUMÁRIO

Parte 1 3
   1. Os primeiros passos nas suas redes sociais. 4
   2. Divulgando as suas redes sociais gratuitamente 48
   3. Algoritmo das redes sociais: Como ele funciona? 64
   4. Como analisar as estatísticas das suas redes sociais 74
   5. 13 ideias de publicações para fazer nas suas redes sociais . . 84
   6. Transmissões ao vivo: Como usar para gerar vendas 102
   7. Como fazer vendas pelo Whatsapp? 112

Parte 2 119
   8. Os primeiros passos nos anúncios 120
   9. Pixel do Facebook 178
  10. Público personalizado: O que é? 188
  11. Público semelhante: O que é? 204

12. Público salvo e o conceito de público frio,
    morno e quente 212
13. Conversões personalizadas. 218
14. Gestor de anúncios: Outras funcionalidades 226
15. Análise dos relatórios 236
16. Regras para aumentar o sucesso dos seus anúncios 254
17. Gerenciador de negócios: Como funciona? 268
18. O que eu faria se… .276
19. Glossário de anúncios: Quais você precisa dominar? . . . 282

Parte 3 285

20. Aplicativos para utilizar nas suas redes sociais 286
21. Gestor de tráfego: A profissão do futuro 290

INÍCIO

"Conseguimos. Eu nem acredito que conseguimos!". Deixei o celular de lado e fiquei olhando para a janela do quarto. Nem estava acreditando no que tinha acabado de acontecer. O livro *Facebook para Negócios* tinha acabado de chegar a número 1 da Amazon no Brasil. Éramos o livro mais vendido em todo o país nas últimas 24 horas.

Conseguimos ficar à frente de autores consagrados e conhecidos no país inteiro. E como fizemos isso? Usando o poder das redes sociais e algumas das estratégias que você verá ao longo deste livro.

Isso aconteceu em 2018 e representa apenas uma pequena parte da história desta obra. A primeira versão de *Facebook para Negócios* foi escrita pela primeira vez em 2012 e ela surgiu a partir da ideia de um leitor do blog. Esse leitor estava lendo um dos muitos artigos que eu tinha escrito na época sobre Facebook e resolveu deixar o seguinte comentário:

"Luciano, seus artigos sobre Facebook são muito bacanas. Já pensou em escrever um livro?"

E eu pensei: *"Não é que essa é uma ótima ideia?"*

E foi aí que comecei escrevendo a primeira versão deste livro. Agradeço a esse leitor até hoje.

Para lançar a primeira versão de *Facebook para Negócios,* usei o meu blog. Naquela altura, existiam praticamente duas formas de um blog vender os seus produtos: escrevendo um artigo e enviando um email para a sua base de leitores. Foi isso que fiz.

Sem uma editora que acreditasse no projeto, a primeira versão viu a luz do dia a partir de um PDF. Quem comprasse a primeira versão recebia um PDF do livro. E me surpreendi com o resultado: nas primeiras 24 horas, vendemos 100 cópias.

O que normalmente ganhava em um mês como professor de tênis – sim, fui professor de tênis durante muitos anos – ganhei em 24 horas com um simples PDF de um ebook. Esse foi o momento em que percebi que, afinal, dava para ganhar dinheiro online.

Desde a primeira versão deste livro, muita coisa mudou. O Facebook, hoje, já não é apenas uma rede social. É uma das maiores empresas do mundo e tem em seu guarda-chuva de produtos — além do próprio Facebook — o Instagram, o WhatsApp e o Messenger. Ou seja: a empresa é dona das duas principais redes sociais do mundo e das duas ferramentas de chat mais utilizadas no planeta.

Ao longo desta obra, você vai aprender a usar essas ferramentas para atrair mais vendas para o seu negócio.

O livro está dividido em duas partes. A primeira é sobre conteúdo. É sobre como funcionam as redes sociais, como criar os seus perfis, como criar conteúdo e ter mais interação.

A segunda é só sobre anúncios pagos. Vou mostrar como se usa o poder dos anúncios pagos do Facebook e Instagram para aumentar as suas vendas.

Se você é uma pessoa que está dando os primeiros passos nas redes sociais, recomendo que leia o livro desde o início e não pule nenhuma parte. Só saber sobre anúncios sem entender como funciona a dinâmica do conteúdo não é um bom princípio.

Mas, se já entende bastante de conteúdo e comprou este livro só para aprender sobre anúncios, sinta-se à vontade para pular direto para a segunda parte, na qual falo só sobre anúncios pagos para Facebook e Instagram. Assim, aproveitará melhor o tempo dedicado a este material.

Vamos lá?

Nota: Ao comprar este livro, você ganhou vários reais em bônus em ferramentas. Para ter acesso a esse bônus, basta acessar: produtos.lucianolarrossa.com/bonuslivro e usar os seus cupons!

Parte 1

1
OS PRIMEIROS PASSOS NAS SUAS REDES SOCIAIS

A o longo das próximas linhas, vou explicar para você o passo a passo de como começar a trabalhar com cada uma das três ferramentas de comunicação: Facebook, Instagram e WhatsApp.

Vou analisar cada uma das redes sociais e indicar qual o caminho mais rápido para ter a sua conta ativa e ter tudo configurado corretamente para começar com o pé direito em cada uma delas.

Recomendo que não pule nenhuma das ferramentas por duas razões:

1. Para fazer anúncios pagos, você precisará ter, pelo menos, uma página de Facebook e uma de Instagram ativas. Se quiser fazer anúncios para o WhatsApp, terá que saber sobre o WhatsApp Business.

2. Ao conhecer um pouco melhor todas as ferramentas, por vezes podem surgir ideias para o seu negócio que você nem imaginava.

Para aproveitar melhor o que está por vir, também recomendo que abra o seu computador e vá seguindo passo a passo o que ensino neste livro. Ler e praticar enquanto aprende é a melhor forma de assimilar todo o conhecimento. Mesmo que demore mais algum tempo para concluir a leitura, não há problema algum nisso. Se deixar para ler e só aplicar depois que finalizar todo o livro, provavelmente quando for aplicar já terá esquecido o que aprendeu. Esta obra tem muita informação técnica e difícil de memorizar sem praticar.

Outra recomendação é que não fique travado(a) caso não entenda algo que eu escrevi. Se não entendeu algo aqui, o Google pode ser o seu melhor amigo. Pesquise no Google e leia outras explicações. Isso pode acelerar o seu aprendizado.

Por último, mas não menos importante, debata com os seus amigos empreendedores algumas das coisas que ler neste livro. Quando você fala com outras pessoas sobre o que está lendo, duas coisas mágicas acontecem. A primeira é que você entende muito melhor o conteúdo. Quando é obrigado(a) a explicar o que está lendo, o seu cérebro assimila a informação de forma mais profunda. A segunda coisa mágica que acontece é que esse seu amigo pode ajudar a ter ideias de como aplicar os conceitos do livro no seu negócio. Duas cabeças pensam sempre melhor do que uma.

Vamos à prática!

O comportamento do consumidor mudou

Para entender como trabalhar as redes sociais, é necessário entender que o comportamento do usuário mudou ao longo dos últimos anos. Se pudéssemos voltar atrás no tempo, lá para 2011, que foi quando comecei a trabalhar mais a fundo com o Facebook, veríamos uma rede social com muito conteúdo de fotos, imagens e textos. Toda a interação acontecia, majoritariamente, com este tipo de conteúdo. Além disso, todo conteúdo consumido e publicado no Facebook era feito a partir do computador. Não tínhamos smartphones tão potentes quanto temos hoje em dia e os aplicativos não eram tão usados quanto são atualmente. O 3G tinha pouca qualidade e não estava disponível em grande escala. No Brasil, por exemplo, em 2011, a rede social que dominava o mercado ainda era o Orkut. Um em cada seis brasileiros usava o Orkut. Nesse mesmo ano, um em cada nove brasileiros usava o Facebook.

Mas, desde então, tudo mudou muito rápido. O Facebook passou de uma plataforma de conteúdo estático para o conteúdo dinâmico: vídeos e transmissões ao vivo foram ganhando cada vez mais espaço. O Facebook passou a dominar as redes sociais em grande parte dos países do mundo. Os smartphones, antes usados apenas para acessar emails e visitar sites, tornaram-se verdadeiras máquinas de produzir conteúdo, com uma qualidade de imagem inimaginável até alguns anos antes. O smartphone passou a fazer parte da nossa vida a todo o momento. Usamos ele como despertador, ferramenta de email, câmera de filmar e fotografar, ferramenta de mensagens etc. Um dispositivo que inicialmente foi concebido para fazer ligações e enviar SMS, hoje, é muito mais do que isso. Acordamos e dormimos praticamente com os smartphones ao nosso lado. Hoje, quando as crianças entram num restaurante, a primeira coisa que elas perguntam é se o restaurante tem wi-fi. O cardápio ficou para segundo plano.

Todos nós, empreendedores, vemos no Facebook uma excelente ferramenta para aumentar vendas e nos conectar com clientes. Mas não podemos esquecer do princípio básico das redes sociais: elas foram construídas para conectarem pessoas. E, quando a marca esquece esse princípio básico, ela acaba por se frustrar com as redes sociais. Na verdade, as marcas pensam que, por terem uma conta nas redes sociais, elas têm ali um local onde podem tentar vender o tempo todo. E, quando pensam assim, acabam frustradas. As pessoas estão nas redes sociais para consumirem três tipos de conteúdo: educação, informação e entretenimento. Ninguém entra nas redes sociais, inicialmente, para comprar. Ninguém acorda pela manhã e pensa:

"Nossa, estava ansioso para entrar no Instagram e receber um anúncio de venda!"

Ninguém pensa assim, certo? Nem eu, nem você, nem ninguém que está próximo ao nosso ciclo de amigos.

Todos entramos nas redes sociais para nos conectarmos uns com os outros, lermos notícias e consumirmos vídeos que nos ensinem algo ou façam rir. Quando a sua marca entende esse princípio básico, ela ganha o jogo.

E o Facebook foi percebendo cada vez mais isso. Ele entende que a interação é a chave para as pessoas se manterem online e, consequentemente, verem mais anúncios. Foi pensando na interação que o Facebook adquiriu, em 2012, o Instagram. Ele via que aquela rede social crescia cada vez mais, principalmente entre os mais jovens. Além disso, utilizou uma estratégia simples de mercado: adquiriu um dos seus principais concorrentes do momento e a única rede social que podia ameaçar o seu reinado.

Nota: Se quiserem entender um pouco melhor a dinâmica das redes sociais e o seu algoritmo, vejam o documentário *O Dilema das Redes*.

Continuando...

Outro app que ameaçou a hegemonia do Facebook foi o Snapchat. Esta rede social, que, assim como o Instagram, crescia de forma exponencial entre os jovens, despertou o interesse de Mark Zuckerberg e ele acabou por usar a mesma estratégia: tentou comprá-la. Mas o dono do *Snap* recusou a oferta.

Com a impossibilidade de ter o fantasma — símbolo oficial do app — no seu conjunto de aplicativos, o dono do Facebook integrou no Instagram o formato de conteúdo do Snapchat, os stories, sobre os quais falaremos mais à frente neste livro.

E a estratégia gerou o efeito esperado. Os usuários, que antes usavam o Snapchat para compartilhar seus stories, passaram a usar o Instagram, gerando uma queda de 30% no número de usuários do Snap em apenas seis meses. Tudo tinha funcionado como planejado.

Se olharmos para os números, eles são bem claros. A empresa Facebook é dona dos quatro apps mais utilizados no mundo: Facebook, WhatsApp, Instagram e Messenger. E, num mundo cada vez mais mobile, isso demonstra um claro domínio da empresa de Mark Zuckerberg.

A estratégia de adquirir os concorrentes ou introduzir algumas das suas funcionalidades não é nova. Em 2010, após tentar, sem sucesso, comprar o Foursquare, o Facebook introduziu a opção de check-in no seu aplicativo mobile. O mesmo aconteceu com o Periscope. Este aplicativo, que permitia fazer transmissões ao vivo, ganhava cada vez mais usuários. Para combater isso, o Facebook lançou o seu próprio sistema de transmissões ao vivo e o Periscope viu o seu número de usuários cair drasticamente.

E o Facebook não fica por aqui. Ele já atua fortemente na área da realidade virtual. Hoje a empresa de Mark Zuckerberg é muito mais do que uma rede social. É a maior empresa de mídia do mundo. Ela atua no bem mais valioso da humanidade atualmente: a atenção.

FACEBOOK

Os primeiros passos para a sua página do Facebook

Quando comecei a receber os meus primeiros alunos para o curso Facebook para Negócios, em 2014, confesso que tinha um pouco de receio das suas principais dúvidas.

O curso tinha sido construído com base no meu conhecimento, no trabalho do dia a dia com o gerenciamento de anúncios de clientes. E eram clientes de renome que investiam entre R$ 1.200 e R$ 6 mil em anúncios... por dia!

Mas será que os alunos do curso, geralmente donos de pequenos e médios negócios, tinham as mesmas necessidades que os meus clientes? Será que as aulas seriam suficientes para esclarecer todas as suas dúvidas relativas a estratégias no Facebook?

Felizmente, criei um curso pensando em qualquer tipo de usuário, desde o mais básico até ao mais avançado, e os resultados não poderiam ter sido melhores: ao fim de alguns meses, eu tinha os meus primeiros casos de sucesso. A estratégia tinha funcionado!

Mas uma coisa me surpreendeu logo nos primeiros dias: grande parte dos alunos não tinha dúvidas complexas. Eram dúvidas comuns, do tipo "como criar a página de Facebook" ou até mesmo qual era a "diferença entre uma Fan Page e um perfil pessoal do Facebook".

De fato, para ter sucesso no Facebook, é necessário começar pela base: pela criação da sua própria página. Sem ela, jamais conseguirá anunciar e ter acesso às infinitas possibilidades de segmentação que os ads permitem.

Para iniciar a sua jornada de sucesso no Facebook, a primeira coisa que precisa fazer é criar uma Fan Page. Este é o único caminho para conseguir anunciar e mensurar os seus resultados.

É muito importante que, logo no início deste livro, você perceba a diferença entre perfil e Fan Page. O perfil é utilizado para fins pessoais. É no perfil que você publica as suas fotos, compartilha links de notícias e fala com os seus amigos no Messenger. Ao criar a sua conta no Facebook e fazer login, está criando um perfil.

Já a Fan Page (ou página) é a área em que as marcas publicam conteúdo, fazem anúncios e interagem com os fãs. As páginas são gerenciadas por Perfis pessoais. Ou seja: um perfil pode gerenciar várias páginas de empresas.

O perfil pessoal Luciano Larrossa, por exemplo, pode gerenciar as páginas das empresas X, Y e Z. Entende?

Este é um requisito técnico obrigatório pelo próprio Facebook: qualquer negócio só pode divulgar os seus produtos ou serviços por meio de uma página. Caso use um perfil para representar uma empresa, pode ter esse perfil banido sem aviso prévio do Facebook, perdendo todos os amigos e posts que tem nele.

Mas, se neste momento você tem um perfil que representa a sua empresa, não se preocupe. Mais à frente neste livro vou mostrar como pode fazer a migração, transformando todos os amigos — e potenciais clientes — que tem nesse perfil em fãs.

Dependendo da marca e do negócio, uma página de Facebook pode ter vários objetivos, como:

- Aumentar o número de potenciais clientes.
- Aumentar a exposição da marca, mesmo que isso não se traduza em vendas de forma direta.
- Impulsionar as vendas, investindo e analisando os resultados de forma direta dentro do Facebook.
- Utilizar o Facebook como canal de comunicação.

Saber o que quer com a sua página e com os seus anúncios é o primeiro passo para ter sucesso no Facebook. Sem metas definidas, tudo fica mais difícil e a probabilidade de não conseguir bons resultados aumenta.

Alguns dos principais problemas dos negócios no Facebook estão justamente na base, na definição bem clara do que o dono da página pretende e de quem é o público-alvo. Existem empresas que pretendem usar o Facebook apenas para divulgação da marca. Existem outras que pretendem fazer venda direta (como são os casos de lojas online); ou que querem encaminhar os usuários para outros canais, como o Messenger ou WhatsApp; enquanto outras querem apenas um canal de comunicação com os seus clientes.

Eu mesmo tenho uma escola de ballet e todo o nosso processo de vendas é bem simples: criamos conteúdos e fazemos anúncios com o objetivo de trazer potenciais clientes para o Messenger, que é o local em que fechamos as vendas. Isso é chamado de *Funil de Marketing*. Saber o funil de marketing da sua empresa é fundamental, pois ele permite que você tenha uma estratégia bem definida, tanto no Facebook como em qualquer rede social.

No caso da escola, o nosso é:

Anúncios + Conteúdo → Messenger → Aula experimental → Venda

Esse é o fluxo que, normalmente, o potencial cliente percorre antes de realmente se tornar um cliente.

E o da sua empresa, qual é? É importante ter isso claro na sua mente antes de pensar em começar a criar conteúdo nas redes sociais.

Muitos empreendedores acham que as vendas acontecerão nos próprios posts. Mas isso dificilmente acontece. A maioria das vendas são fechadas por Messenger, WhatsApp, Direct do Instagram, email, site ou telefonema.

Por isso, volto à pergunta: Qual a sua estratégia de vendas? Por onde pretende fechar as suas vendas?

Vou dar um exemplo de alguns potenciais funis para o seu negócio:

- Anúncios + Conteúdo → Messenger → Venda
- Anúncios + Conteúdo → WhatsApp → Venda
- Anúncios + Conteúdo → Direct do Instagram → Venda
- Anúncios + Conteúdo → Captura do email → Venda por email
- Anúncios + Conteúdo → Captura do email + Telefone → Venda por email ou telefone

Faça uma pausa de cinco minutos e desenhe num papel qual será o seu fluxo de vendas. Vai clarear bastante as suas ideias. Esse exercício ajudará a sua estratégia tanto para a página de Facebook quanto para outras redes sociais.

Como criar a Fan Page

Agora que você já conhece os benefícios e entende como o consumidor atua na internet, chegou o momento de dar os primeiros passos na criação da sua Fan Page. Em primeiro lugar, precisa acessar este link: https://www.facebook.com/pages/create. Ao acessá-lo, verá a imagem a seguir:

1. CRIAR A PÁGINA

Como pode ver, você só precisa preencher três campos: o nome da página, a categoria e a descrição. De todos esses campos, o único que recomendo que pense bastante antes de usar é o Nome. Para mudar o nome da página, o processo pode ser um pouco chato e demorado. Já a Categoria e a Descrição podem ser alteradas no futuro.

Depois de criar a sua página, chegou a hora de inserir alguns elementos que serão importantes.

Quando começar a preencher a sua página, o primeiro cuidado que deve ter é com a *cover*, também conhecida como "Imagem de Capa" (a imagem maior que aparece logo a seguir).

2. IMAGEM DE CAPA

Segundo vários testes realizados pelo próprio Facebook, a *cover* é a imagem que mais chama a atenção do potencial fã. Aproveite-a para aumentar a ligação com os seus fãs (no meu caso, uso um vídeo) e para divulgar alguns produtos seus, links do seu perfil em outras redes sociais ou até mesmo para divulgar alguma promoção especial.

Preste atenção também em uma melhor performance, a *cover* deve ter 851 pixels de largura, 315 pixels de altura e menos de 100 KB. Para melhorar a resolução, faça o upload de um arquivo em PNG.

O Facebook introduziu, há pouco tempo, a possibilidade de inserir vídeo na sua capa. O vídeo que for inserir na sua capa tem que ter entre 20 e 90 segundos e 820 pixels de largura e 312 de altura. Para inseri-lo, basta clicar no canto inferior esquerdo e selecionar uma das opções de vídeo, como mostramos a seguir:

3. EDITAR CAPA DO FACEBOOK

Na capa, fica também o botão de chamada para a ação. Aqui:

4. BOTÃO DA FAN PAGE

Esse botão é uma forma dos usuários novos que chegam à página poderem saber um pouco mais sobre você ou a sua marca. Existem marcas que preferem deixar o número de telefone; outras, o link para o site; outras, o email. Enfim, deixo essa parte a seu critério. No meu caso, prefiro ter a opção de contato pelo Messenger.

A única coisa que você precisa pensar é a seguinte: a maioria dos usuários que clica nesse botão são novos fãs da sua página. São pessoas que chegaram à Fan Page e querem saber mais do seu negócio. Não existe uma regra do que deve preencher. Analise o seu público e pense no que faz mais sentido inserir nesse botão.

Para trocar algo no botão, basta passar o cursor por cima do botão que várias opções vão aparecer. Veja:

5. EDITAR BOTÃO

O próximo passo é preencher a Descrição corretamente. Essa parte da página serve para informar, de uma forma muito resumida, aquilo que a sua empresa faz. Desta forma, assim que o seguidor chega à Fan Page, fica rapidamente sabendo qual o tipo de negócio daquela página.

É muito importante que preencha com todas as informações, como telefone, email e localização. Muitas pessoas pesquisam por empresas no Facebook para saberem mais informações na hora de tomar uma decisão. Eu mesmo já deixei de comprar produtos de empresas apenas porque não encontrava todas as informações que precisava sobre ela.

Para adicionar a Descrição, vá até *Editar Informações da Página* e depois insira a descrição e outros detalhes que ficam abaixo, como telefone, localização ou horário de funcionamento (este é fundamental para negócios locais).

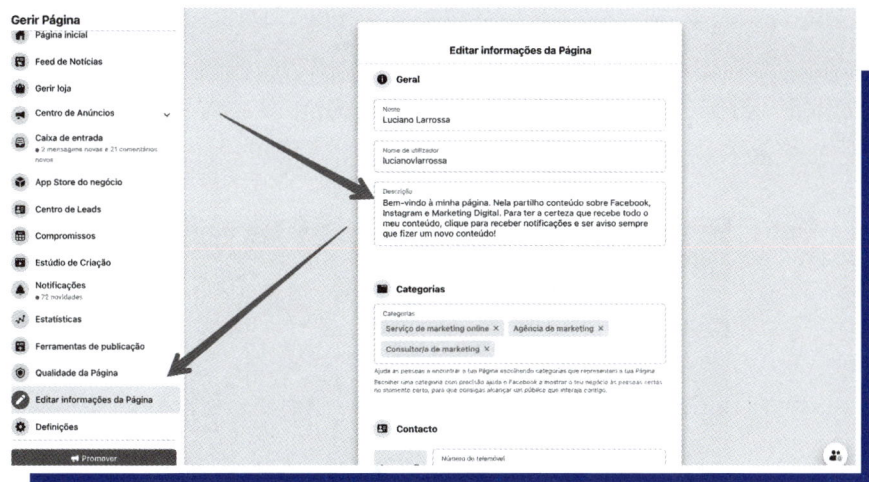

6. ALTERAR DESCRIÇÃO DA PÁGINA

Outro ponto para prestar atenção são os erros de ortografia. Evite letras maiúsculas de forma desnecessária ou a utilização frequente de reticências. Esse é o primeiro contato entre a sua empresa e o seu público-alvo e, por isso, você deve ter muita atenção a todos os pormenores.

Pronto para publicar?

Com a sua Fan Page criada, você está pronto para começar a compartilhar conteúdo! Mais à frente neste livro vamos falar sobre outras configurações da sua página, mas agora focaremos o conteúdo.

Na sua página, é possível fazer, essencialmente, cinco coisas: publicar textos, links, imagens e vídeos ou fazer transmissões ao vivo.

Além das publicações habituais, uma Fan Page também tem outras funcionalidades interessantes que merecem ser exploradas. A primeira que vamos abordar é a possibilidade de destacar um conteúdo. Com o destaque de conteúdo, a sua publicação escolhida passa a estar eternamente no topo da sua página. Essa é uma forma de ter uma publicação importante (o seu principal produto, por exemplo) no topo da sua página.

Assim, essa é a primeira publicação que os novos fãs veem ao chegar à página. Fazer isso é extremamente simples. Basta ir ao canto superior direito de qualquer publicação, clicar nos três pontinhos e depois em *Fixar no Topo da Página*:

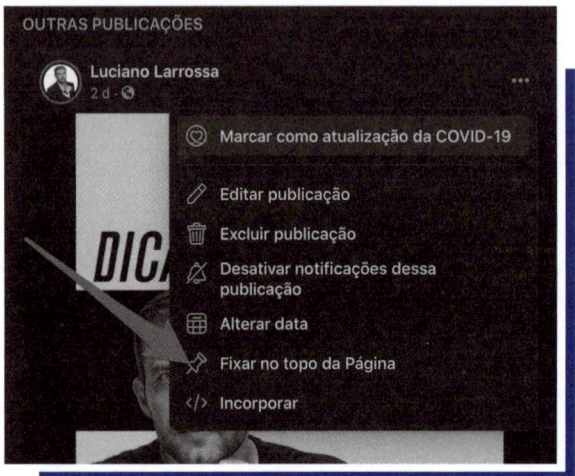

7. FIXAR NO TOPO DA PÁGINA

A partir de agora, essa publicação ficará sempre no topo. Para retirá-la do topo, basta clicar novamente no canto superior direito e selecionar a opção *Desafixar do topo da Página*.

Como migrar ou fundir um perfil

Se você é daquelas pessoas que têm a página da sua empresa num perfil pessoal, não cometa o erro de criar uma Fan Page nova. O Facebook permite que você faça a migração da sua conta pessoal para uma Fan Page, transformando os amigos em fãs. Vejamos como deve fazer:

Acesse: **https://www.facebook.com/pages/create/migrate**. Depois aparecerá uma imagem como a que está vendo a seguir:

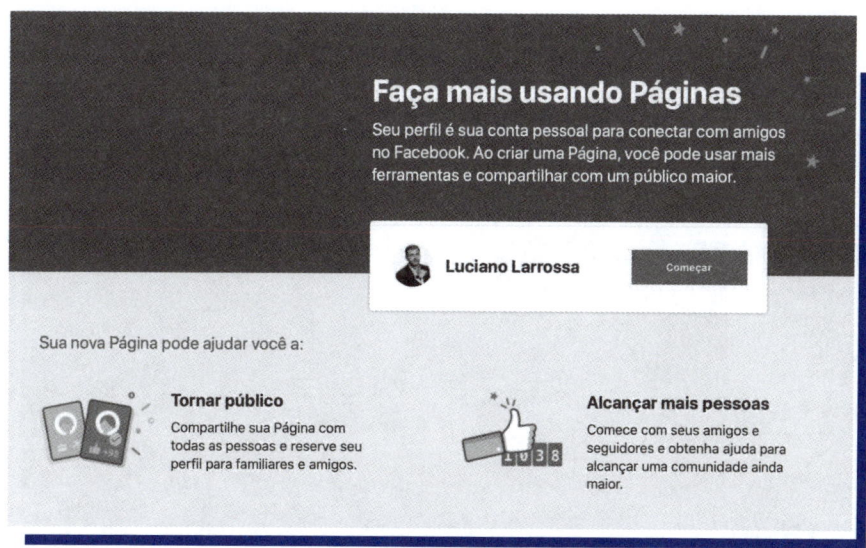

8. MIGRAR DE PERFIL PARA PÁGINA

Quando clicar em começar, algumas coisas acontecerão:

- Você continuará tendo o seu perfil, a diferença é que agora tem uma página.
- A foto de perfil e de capa vão para a página nova.
- O nome da página será o mesmo do perfil.
- Os seguidores, amigos e pedidos de amizade serão avisados de que o seu perfil acabou de criar uma página.
- Os amigos e pedidos de amizade se converterão automaticamente em fãs, mas continuarão sendo seus amigos no perfil e os pedidos de amizade continuarão pendentes no perfil.

Se você prefere se manter mais seguro na hora de fazer essa migração, uma boa possibilidade é fazer um backup de toda a informação do seu perfil. Para isso, acesse **https://www.facebook.com/settings** e depois vá até *Suas informações no Facebook*. Em seguida, clique na opção *Baixar suas informações* e siga o passo a passo para fazer o download.

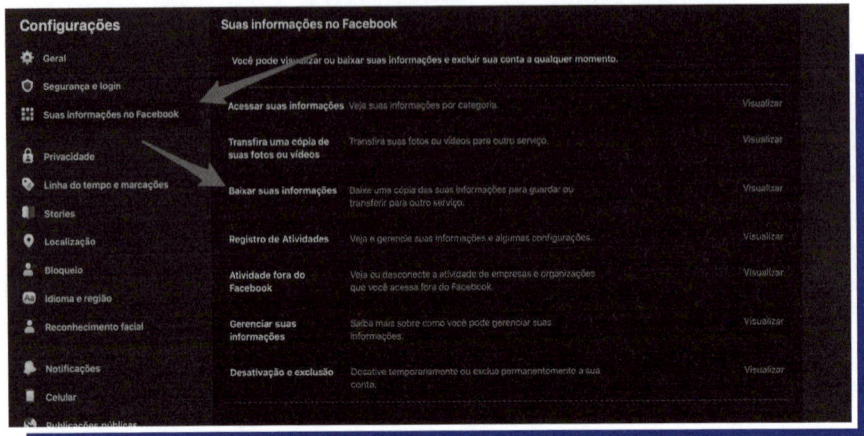

9. BAIXAR AS INFORMAÇÕES

Depois desse passo será enviada uma mensagem para o mesmo email da conta do Facebook com um link para fazer o download de toda a informação.

Trocar o nome e o URL

Nas formações, existem duas coisas que as pessoas geralmente perguntam. Uma delas é como trocar o nome. A outra é como mudar o URL da página. E, por esse motivo, decidi falar um pouco sobre essas informações aqui no livro.

Para trocar ambas (ou apenas uma delas), basta ir até a opção *Editar Informações da Página*:

10. EDITAR INFORMAÇÕES DA PÁGINA

No topo aparecem logo as duas opções:

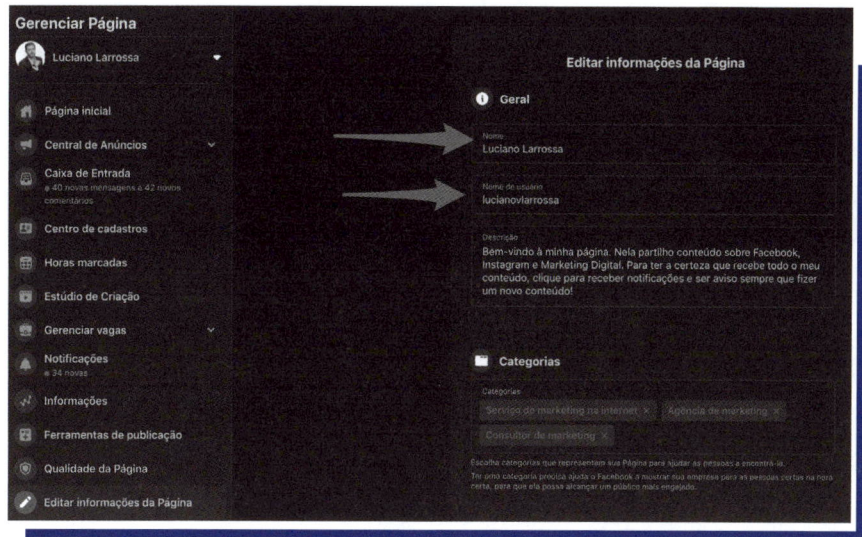

11. TROCAR NOME E NOME DE USUÁRIO

A alteração de URL é simples e aceita no mesmo momento. O problema mesmo é a alteração do nome da página e, por isso, preciso deixar aqui alguns avisos:

- A aprovação para a trocar de nome é manual. Ou seja, um membro do Facebook terá que, manualmente, aprovar a mudança de nome. Isso pode demorar alguns dias.
- Cada vez que você tentar alterar o nome e ele não for aprovado, precisará esperar alguns dias até conseguir pedir nova alteração.
- Se você acabou de alterar o nome, terá que esperar alguns dias para conseguir alterar novamente.
- Você só poderá alterar o nome se for administrador.

Configurações

Além das modificações que pode fazer na *Descrição*, há também a parte das *Configurações*. Nela, você faz algumas modificações mais pontuais, como inserir limites de idade de quem pode visualizar a página, permitir ou não receber mensagens, permitir que outras pessoas administrem a sua página etc.

Antes de avançarmos, é importante perceber duas coisas:

- A primeira é que o Facebook está sempre fazendo alterações e, por isso, é normal que algumas opções que aparecerão aqui na parte das *Configurações* não apareçam para você e vice-versa.
- A segunda é que é necessário compreender que as *Configurações* têm um menu Geral. Conforme você clica nesse menu, aparecem outras opções do lado direito. Veja:

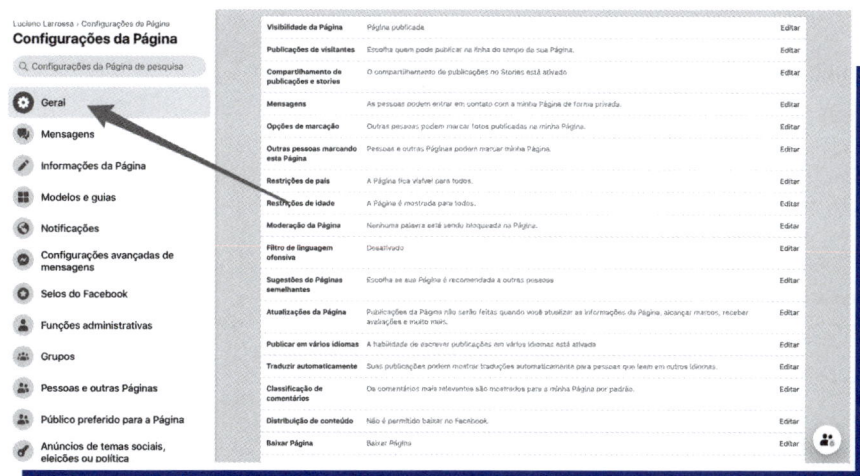

12. CONFIGURAÇÕES DA PÁGINA

Obviamente, não vamos falar sobre todas elas aqui, mas vou destacar algumas que podem ser realmente importantes para o seu negócio:

Publicação dos visitantes

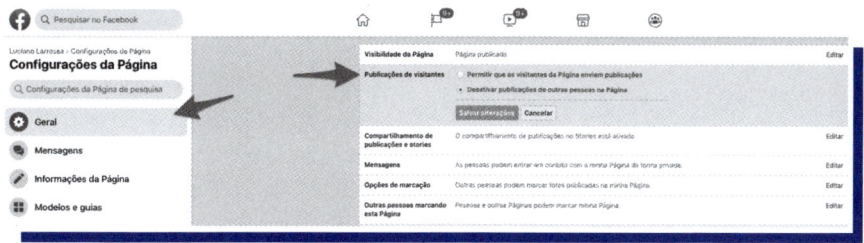

13. PUBLICAÇÃO DOS VISITANTES

Nesta parte, você permite (ou não) que outras pessoas possam publicar na sua página. Se a opção estiver desativada, a única forma de as pessoas se comunicarem com você é a partir das mensagens ou dos comentários nos posts. Caso essa opção esteja ativa, qualquer usuário pode chegar na sua página e publicar na linha do tempo.

Recomendo que desative essa opção, pois a partir dos comentários e mensagens você tem maior controle sobre o que é dito, principalmente se forem clientes insatisfeitos.

Mensagens

14. ATIVANDO AS MENSAGENS

Se quiser, pode não autorizar que as pessoas deixem mensagens no privado para a sua página. A não ser que seja uma marca muito grande e que o volume de mensagens seja enorme a ponto de não dar conta, recomendo que permita que os usuários enviem mensagens.

Moderação da página

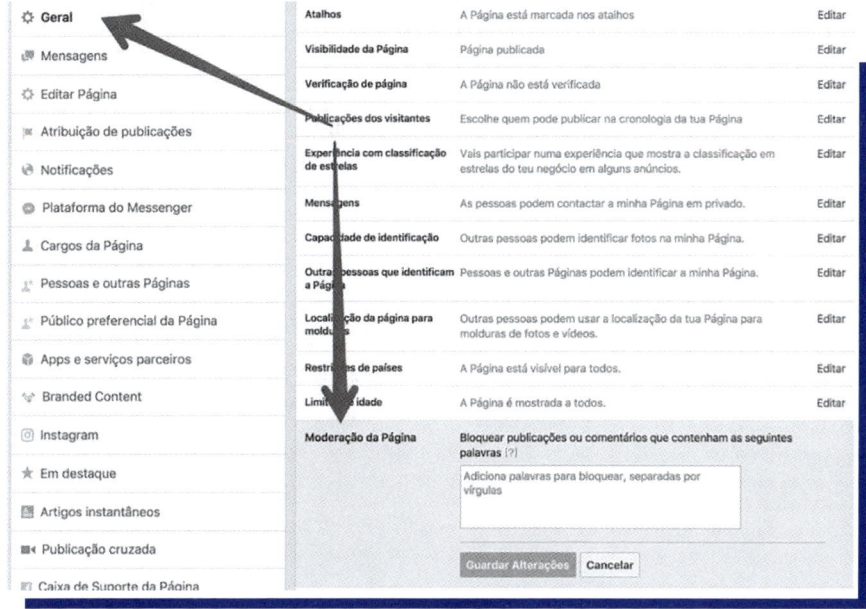

15. MODERAÇÃO DA PÁGINA

Não quer que apareça um comentário com o nome do seu concorrente? Ou não quer que apareçam palavrões na sua página? O Facebook tem uma opção em que você pode escrever algumas palavras proibidas. Vale a pena usar! Cada vez que alguém escrever um comentário que contenha essas palavras, o comentário será automaticamente oculto. Hoje em dia, em algumas páginas, já é possível subir um arquivo CSV com as palavras que o administrador pretende moderar.

Classificação de comentários

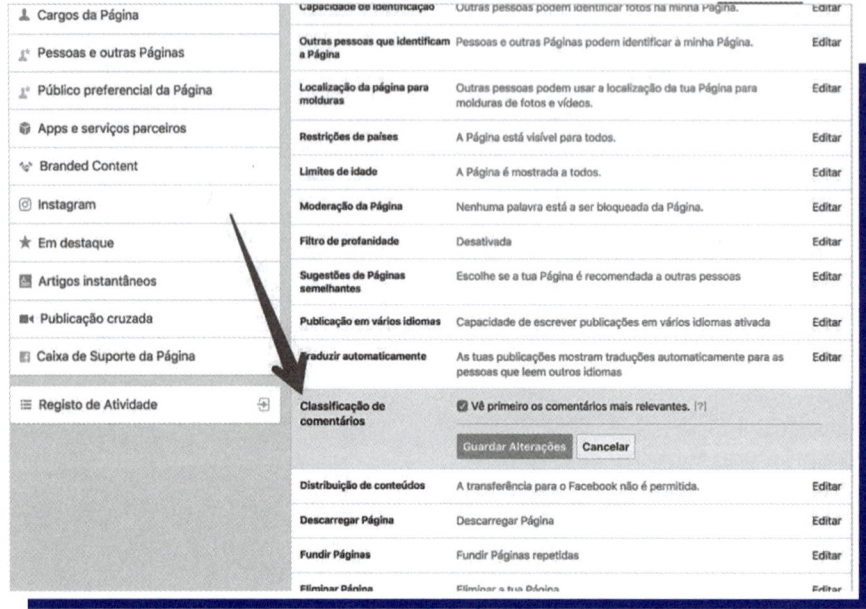

16. CLASSIFICAÇÃO DE COMENTÁRIOS

Com esta opção ativa, os comentários do seu post acabam ficando por ordem de interação. Ou seja, os comentários que receberem mais curtidas e *reactions* ficam no topo. Se ela estiver desativada, os comentários aparecem por ordem cronológica. Recomendo que deixe ativa, pois muitas pessoas entram nos posts para verem os comentários mais relevantes e, se eles estiverem no topo, darão uma experiência mais interessante para quem visita a sua página.

Mesclar páginas

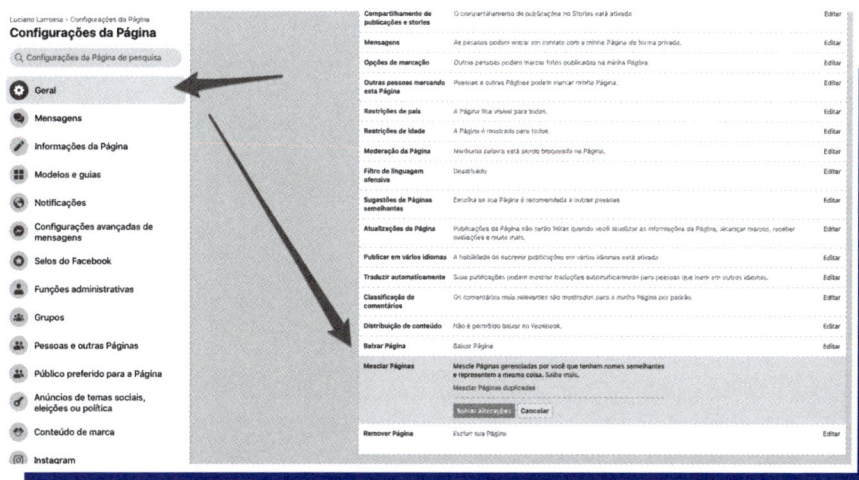

17. MESCLAR PÁGINAS

Outro grande problema que muitos usuários enfrentam são as páginas duplicadas. Em algum momento criaram a página com o nome da empresa e, depois, por outro motivo qualquer, acabaram por criar outra página com o nome da empresa. Com isso, quando os usuários pesquisam no Facebook pelo nome da empresa, encontram duas páginas.

Uma forma muito simples de resolver isso é mesclando as duas páginas. Para isso, basta acessar essa opção do Facebook. Depois vai aparecer uma opção que diz *Mesclar Páginas repetidas*. Ao clicar, você vai para uma página que pede para selecionar as páginas que pretende mesclar. Atenção a alguns detalhes:

- Só funciona se for administrador de ambas as páginas.
- As duas páginas devem ter nomes semelhantes.
- Não é possível voltar atrás na decisão.

- A página que ficar terá as curtidas de ambas. Porém, tenha em mente que alguns usuários podem ter curtido as duas páginas anteriormente, por isso não é certo que, ao mesclar, o número de likes seja somado.
- A página que desaparecer perderá todo o conteúdo.
- Este é um processo manual e não é garantido que ele será aprovado.

Modelos e guias

Em todas as páginas de Facebook, você terá um menu lateral como este:

18. EXEMPLO DE MODELO E GUIAS

Esses menus não são fixos. Você pode modificar sempre que quiser. Para isso, tem que ir à opção de Configurações da página e depois clicar em Modelos e guias:

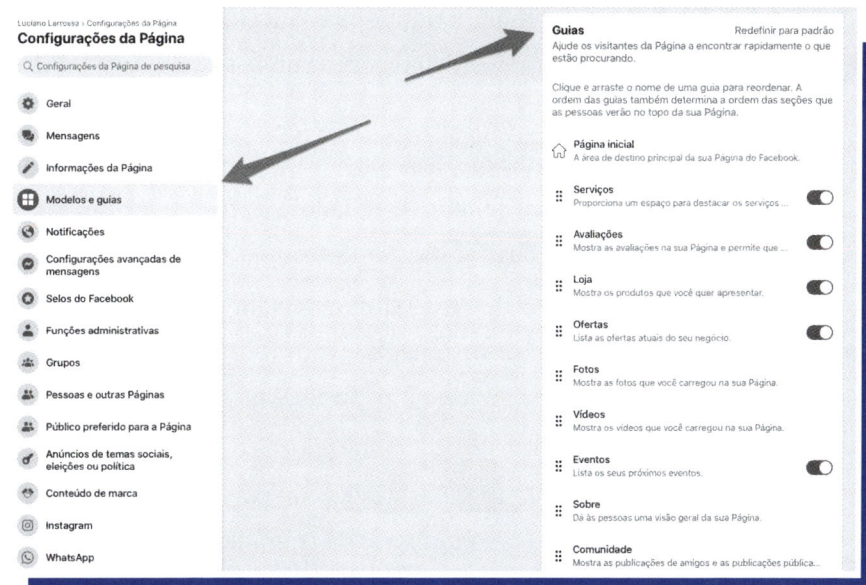

19. MODELOS E GUIAS

Agora você poderá ativar ou desativar cada um dos menus como quiser.

Uma das opções que recomendo vivamente que tenha é a parte das Avaliações, também conhecidas como *Estrelas*. Estou falando disto aqui:

20. AVALIAÇÕES

Essas avaliações são muito importantes pois, cada vez mais, os usuários tomam a decisão de comprar algo tendo como base as avaliações de outras pessoas.

Se a sua página tem muitas *reviews* positivas, o usuário sente mais confiança na hora da compra. Se, por outro lado, não tiver qualquer avaliação de outra pessoa, o usuário acaba por desconfiar da sua empresa.

Para aumentar o número de pessoas que deixam avaliações na sua página, você pode realizar várias estratégias. Pode, por exemplo, oferecer bônus para quem deixar uma review ou pedir que, no final da compra, o cliente deixe um comentário.

Muitos empreendedores retiram as avaliações por medo de críticas. No entanto, veja essa opção como um meio de comunicação com os seus clientes e uma forma de melhorar o seu produto/serviço. Obviamente, as críticas podem existir, mas acredite: o que ganhará ao ter essa opção ativa é muito maior do que aquilo que perderá.

Notificações

Se você é uma pessoa como eu, que detesta ficar recebendo notificações por tudo e por nada, pode alterar a frequência com que recebe notificações de email ou no próprio Facebook. Basta ir até aqui e editar o que pretende:

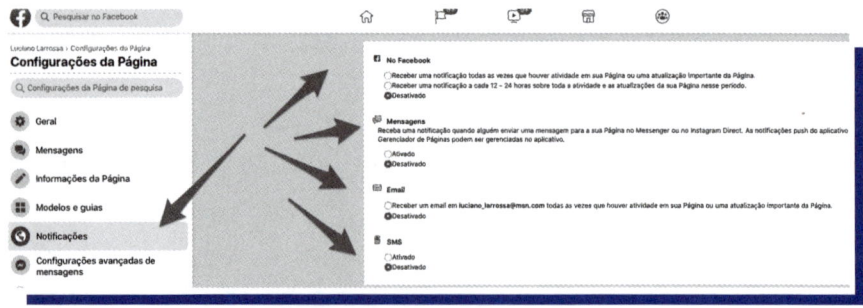

21. NOTIFICAÇÕES DA PÁGINA

Funções administrativas

Outra ideia errada que as pessoas têm é que só uma pessoa pode gerenciar a página. E quando querem que outro integrante da empresa faça posts, acabam fornecendo o email e a senha de login sem necessidade. Obviamente, o Facebook já inventou uma solução mais simples para esse tipo de problema.

Para isso basta ir ao menu Funções administrativas, como mostro a seguir:

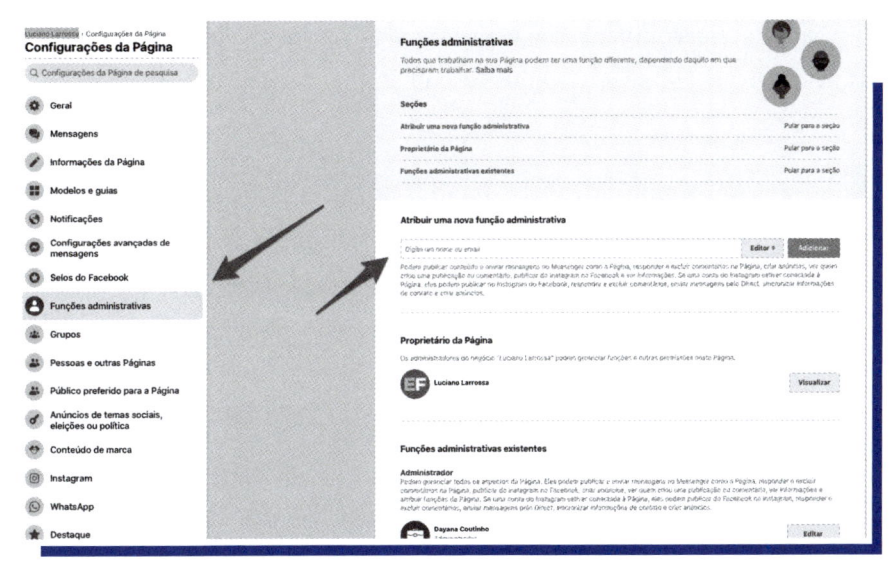

22. FUNÇÕES ADMINISTRATIVAS

Para adicionar alguém, basta inserir o email e definir o cargo que ele vai ocupar na página. Veja o que significa cada um deles:

- **Administrador:** Pode fazer tudo na página. Publicar, remover pessoas, alterar cargos e até remover a página! Tenha muito cuidado com quem deixa como administrador, pois, se deixar essa função nas mãos erradas, corre o risco de perder a página.
- **Editor:** Este cargo tem quase as mesmas funções do administrador, com a diferença de que não pode remover ou adicionar pessoas e

mexer nas configurações da página. De resto, pode publicar, excluir, trocar informações do Sobre, imagens de capa etc.

- **Moderador:** Neste cargo, o usuário fica responsável por responder ou eliminar comentários, responder a mensagens ou ver estatísticas.
- **Anunciante:** Só pode criar anúncios pagos, ver estatísticas e saber quem publicou na página.
- **Analista:** Só vê estatísticas.

Se quiser permitir que alguém faça algo na sua página, analise bem as funções que ele vai necessitar e escolha uma das opções mencionadas.

Instagram

Outro detalhe importante nessa parte de configuração da página é o Instagram. A partir da página, você pode ligar a sua conta do Instagram — caso tenha — e depois responder a comentários e mensagens do Instagram por meio do Facebook.

Para isso, tem acessar aqui:

23. CONECTAR AO INSTAGRAM

E depois fazer login na sua conta do Instagram. Porém, existe um detalhe muito importante: o email de login do Facebook tem que ser o mesmo da sua conta do Instagram! Caso contrário, o Facebook não vai conseguir ligar uma conta à outra.

Mensagens

Durante os últimos anos, o Facebook tem dado um grande foco na parte das mensagens. Isso é inegável. Todo mês aparece uma nova funcionalidade para o Messenger. Na sua página, existem várias coisas que você pode fazer com as mensagens.

A mais comum é a de programar mensagens automáticas. Acessando este menu:

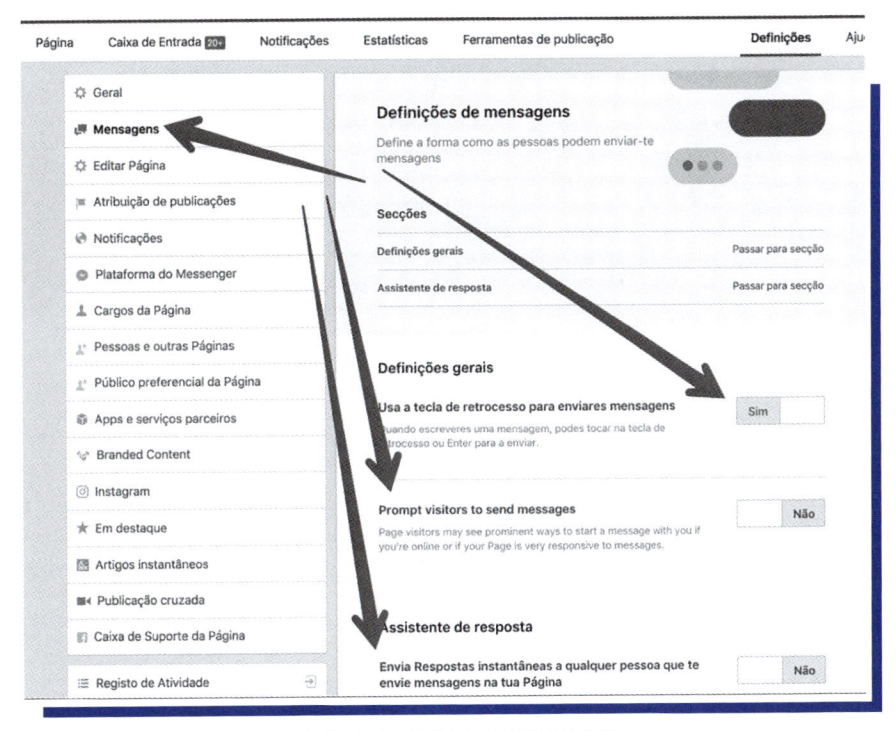

24. PROGRAMAR MENSAGENS

Ou seja, quando um usuário entra em contato com a página, uma mensagem automática pode ser programada. Você pode usar isso para uma mensagem de boas-vindas ou informar quanto tempo costuma demorar para responder às mensagens.

Aqui, pode programar:

- Uma mensagem para cada pessoa que entra em contato com a sua página.
- Uma mensagem para quando o usuário entra pela primeira vez em contato com a sua página.
- Uma mensagem que a pessoa vai receber quando estiver ausente.

Porém, essas mensagens são de apenas um nível. Ou seja, enviam apenas uma única mensagem e nada mais. Se quiser criar algum tipo de relacionamento com respostas automáticas, aí já temos que falar sobre chatbots, que são mensagens automáticas que respondem conforme as opções selecionadas pelos usuários. Se você vende muito pelo Messenger, recomendo que procure no Google sobre chatbots e entenda como eles podem ajudar no seu atendimento.

> **Resumo**
>
> Vamos rever então os passos que falamos neste capítulo inicial:
>
> - Caso ainda não tenha uma página profissional, crie uma.
> - Explore todas as funcionalidades da página.
> - Caso já tenha uma conta pessoal em nome da empresa, faça a migração de forma a transformar os seus amigos em fãs.
> - Comece a modificar as configurações para deixar a Fan Page mais profissional.
> - Integre com o Instagram da sua empresa.
> - Programe mensagens automáticas caso venda muito pelo Messenger.
> - Preencha a sua página com a descrição, horários e links corretamente.
>
> 👍 Curtir   💬 Comentar   ↪ Compartilhar

INSTAGRAM

Agora que já falamos sobre o Facebook, vamos configurar corretamente o Instagram. Assim como o Facebook tem o perfil e a Fan Page, o Instagram também tem o perfil pessoal e o perfil mais profissional. Na verdade, existem dois tipos de perfis profissionais no Instagram: perfis Comerciais e perfis de Criadores de Conteúdo.

Mas Luciano, qual a diferença entre eles?

Praticamente nenhuma. Não vou abordar detalhadamente essas pequenas diferenças (até porque o Instagram está sempre mudando elas), mas vou deixar um conselho: opte pela conta comercial.

O motivo está relacionado com anúncios. Quando passarmos para a parte dos anúncios, você vai conhecer uma coisa chamada *públicos personalizados*. Essa opção permite que você faça anúncios pagos para quem interagiu com o seu Instagram nos últimos dias. Ou seja: você pode anunciar para quem está curtindo e comentando os seus posts.

Fantástico, né? Até porque essas pessoas são muito propensas a comprarem de você. Pois é, só que o Instagram — no momento que escrevo este livro — não permite que contas que têm a opção Criador de Conteúdo criem públicos personalizados da sua audiência no Instagram. E, como você verá ao longo do livro, esse é um excelente tipo de público para fazer vendas. Por esse motivo, recomendo que opte pela Conta Comercial.

Ao contrário do Facebook, a configuração da conta do Instagram é extremamente simples. O único local onde precisa ter mais algum cuidado é na Bio. Aqui:

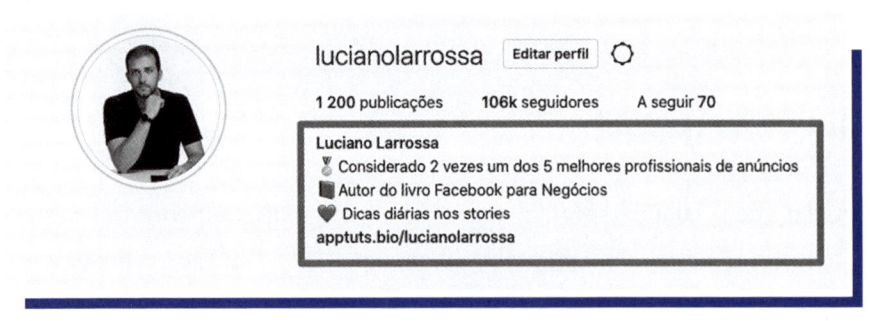

25. BIO DO INSTAGRAM

Aqui é a área em que você deve inserir uma informação que resuma o seu negócio. Quando alguém está pensando em seguir você ou não, a primeira coisa que olha é para a Bio. Por isso a sua Bio deve conter:

- O que você faz.
- O que você vende.
- O que as pessoas devem esperar do seu perfil.

Além disso, a Bio é uma das poucas áreas em que você pode inserir um link para fora do Instagram. Felizmente, existem ferramentas como o Apptuts.bio, que permite que, a partir de um único link, você crie uma página com vários outros links. Veja como fica a minha:

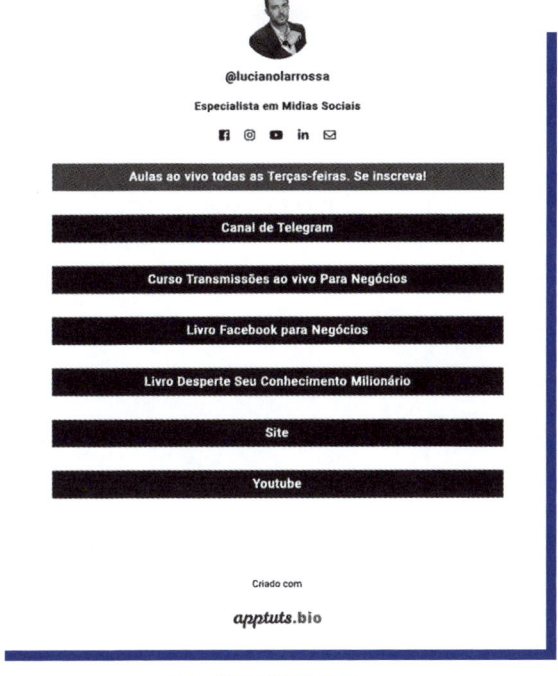

26. APPTUTS.BIO

O Apptuts.bio tem a versão paga e a versão gratuita.

Dando os primeiros passos no Instagram

Depois de criar a sua conta no Instagram, você verá que existem praticamente duas áreas em que você pode criar conteúdo: feed e stories. Feed é a coluna central, na qual você pode ver imagens e vídeos das pessoas que segue. Esses conteúdos no feed ficarão para sempre na sua conta, a não ser que você decida apagar ou arquivar algum dos conteúdos.

Quando falamos em vídeos, no feed você pode postar dois tipos de vídeos: os *normais* e os que vão para o IGTV. Os vídeos *normais* podem ter até um minuto e, quando são postados, ficam no seu feed e só podem ser encontrados por quem visitar o seu perfil ou por quem encontrar esse vídeo no Explorar (daqui a pouco falaremos sobre ele).

Já quando o vídeo tem mais do que um minuto, o Instagram automaticamente coloca ele no IGTV. O IGTV é como se fosse o seu canal de YouTube. Ele tem, inclusive, um separador no seu perfil só para os vídeos que você postou nele.

27. IGTV

Eu o utilizo bastante na minha conta, principalmente para tutoriais sobre anúncios. Mas os vídeos do IGTV têm um detalhe: eles não podem ser anunciados. Enquanto você consegue anunciar os vídeos de um minuto, os vídeos do IGTV não podem se tornar anúncios. Precisamos para já dessa opção.

Já os stories são aqueles círculos que ficam no topo. São a tal funcionalidade que o Instagram copiou do Snapchat e que tem feito muito sucesso. Ao contrário do conteúdo no feed, os stories são vídeos ou imagens curtas, que desaparecem ao fim de 24 horas e duram, no máximo, 15 segundos. É um formato de conteúdo bem interessante para você mostrar bastidores do seu negócio e criar uma proximidade maior com a sua audiência.

Ah, Luciano, e se eu quiser que meus stories durem mais do que 24 horas. É possível?

É sim. Para isso você precisa colocá-los nos destaques. Os destaques são círculos que ficam abaixo da sua Bio e que permitem que você deixe seus stories eternos por lá:

28. DESTAQUES

Recomendo que os use para inserir depoimentos de clientes ou stories estratégicos. Quase diariamente alguém vê os meus stories da mentoria e pergunta se ainda tenho vagas abertas.

Hashtags: para que servem?

Uma coisa que funciona muito bem no Instagram mas muito mal no Facebook são as hashtags. Para quem não sabe, hashtags são estes símbolos que ficam na descrição ou nos comentários dos posts: #.

Elas são uma excelente forma de o seu conteúdo ser encontrado dentro do Instagram.

Mas como elas funcionam na prática? Seguem alguns exemplos:

- Se você tem uma loja em Campinas, pode usar a hashtag #campinas para quando as pessoas procurarem pela sua cidade no Instagram encontrarem a sua loja.
- Se você vende vestidos azuis, no seu post pode colocar a hashtag #vestidoazul para quando as pessoas procurarem por um, encontrarem você.
- Se você vende raquetes de tênis, pode colocar a hashtag #raquetedetenis para quando alguém procurar uma raquete, encontrar as que você tem para vender.

E por aí vai.

Mas como você sabe quais hashtags usar? Seguem alguns conselhos:

- Se você tem um negócio numa cidade, use a hashtags da cidade.
- Se vende um produto e os compradores apenas falam português, recomendo que use hashtags em português (a não ser que o seu produto tenha um nome internacional). De que adianta ter seguidores de Sidney ou Munique se eles nunca comprarão de você?

- É melhor usar hashtags mais específicas e em menor quantidade do que várias genéricas. Lembre-se: o objetivo é atrair seguidores qualificados, e não seguidores que façam apenas número. Seguidores que não compram e não engajam são bons para o nosso ego, mas nada mais do que isso.
- Use hashtags com um volume interessante, mas cuidado com a concorrência. Se usar hashtags que têm poucas pesquisas, dificilmente você será encontrado. Porém, se usar hashtags que todos usam, dificilmente ficará no topo das pesquisas. Então, o ideal é um mix: hashtags com algumas centenas ou milhares de pesquisas por mês e que ao mesmo tempo tenham pouca concorrência.
- Analise a concorrência e veja quais hashtags eles estão usando. Certamente vai conseguir algumas ideias ali.

E onde as pessoas encontrarão o seu conteúdo quando você usa as hashtags?

A maioria das pessoas encontrará as suas hashtags a partir do Explorar, a lupinha do Instagram que fica aqui:

29. EXPLORAR DO INSTAGRAM

Quando alguém faz uma pesquisa por aqui, o seu conteúdo pode ser encontrado. O Instagram não revela o que faz um conteúdo ser encontrado por aí, mas acredito que detalhes como a quantidade de interação nos conteúdos e também a localização geográfica do post possam influenciar.

WHATSAPP

O WhatsApp é uma das ferramentas que mais traz vendas tanto dos meus produtos como dos produtos dos meus clientes. O motivo é muito simples: maior taxa de abertura. Enquanto um envio de email com uma boa taxa de abertura pode rondar os 20%, uma mensagem de WhatsApp tem certamente mais de 90% de abertura.

Nesta ferramenta, você vai encontrar três versões:

- **Pessoal:** usada pelo usuário comum.
- **Comercial (também conhecida como Business):** usada por negócios que pretendem ter os benefícios de uma conta comercial.
- **Comercial Oficial:** uma versão de contas comerciais que são verificadas pelo próprio WhatsApp e que exibem um selo verde à frente do nome. São empresas escolhidas pelo próprio WhatsApp para terem esse selo e não há como pagar para ter um selo do gênero.

Quais as grandes diferenças entre as contas de WhatsApp pessoais e as comerciais/Business?

Existem algumas funcionalidades que você ganha ao transformar a sua conta de WhatsApp em Comercial. Confira algumas:

Catálogos

Ao ter uma conta comercial, você consegue criar catálogos. Neles, você consegue colocar os seus produtos ou serviços. Veja um exemplo a seguir:

30. CATÁLOGOS DO WHATSAPP

Esse produto fica na descrição do meu WhatsApp de atendimento e, a qualquer momento, quem tem o meu contato pode ver mais informações sobre o produto entrando na descrição.

Ao clicar no produto, podem ser vistas as seguintes informações:

31. EXEMPLO DE PRODUTO NO CATÁLOGO

Depois basta clicar no botão de conversar e pedir mais informações.

Localização do negócio

Ao ter uma conta no WhatsApp Business, na sua descrição também vai aparecer a localização do seu negócio (caso ele tenha uma). Ao clicar nessa localização, o celular abre o mapa para ajudar o seu potencial cliente a chegar no seu negócio físico.

Mensagens automáticas

Ao contrário do Facebook, que já conta com um grande desenvolvimento de chatbots, no WhatsApp Business, essa parte ainda não está tão aprimorada. Porém, já existem três tipos de mensagens automáticas que você pode criar:

- **Mensagem de Saudação:** é enviada quando o cliente entra em contato com a sua empresa pela primeira vez ou após mais de 14 dias desde a última conversa.
- **Mensagem de Ausência:** é muito útil se você não tiver condições de responder durante um período. É o que acontece quando a empresa não está no horário de expediente, por exemplo.
- **Respostas Rápidas:** são muito interessantes. Com elas, você pode definir atalhos para que a mensagem completa apareça sem a necessidade de digitá-la por completo.

Estatísticas

Se você é tão apaixonado por estatísticas quanto eu, vai gostar dessa parte do WhatsApp Business. Com ela, você consegue ter acesso a quantas mensagens foram enviadas, quantas foram entregues, quantas foram lidas e também quantas foram recebidas. Ainda é uma estatística bastante geral da conta, mas já é um início.

Etiquetas

As etiquetas permitem catalogar conversas. Você pode criar etiquetas como *Cliente* ou *Por responder*, organizando desta forma os seus contatos. Eu adoro essa funcionalidade, pois, se o fluxo de mensagens for muito grande, ela ajuda a *organizar a casa*.

Anúncios

Ainda não entramos na parte dos anúncios, mas deixo já um aviso: se você quer ser bem-sucedido nos anúncios levando pessoas para o seu WhatsApp, ele precisa ser Business. Apenas com contas Business você consegue fazer anúncios de mensagens — que explicarei mais à frente como fazer.

Existem desvantagens em usar o WhatsApp Business?

Na verdade não existem quaisquer desvantagens na utilização do WhatsApp Business comparativamente ao WhatsApp pessoal. Pelo menos até agora, nos meus negócios e dos meus clientes, não encontrei nenhuma desvantagem.

Porém, tanto o WhatsApp pessoal como o Comercial têm uma desvantagem: eles não permitem que vários operadores trabalhem na mesma conta. Se você tiver essa necessidade, terá que partir para a utilização de uma ferramenta externa, como o JivoChat.

O Jivo é uma ferramenta de chat para sites que permite ligar o seu WhatsApp Business e, com isso, ter vários atendentes para o mesmo número por meio do aplicativo deles. Se você quer ter vários atendentes no mesmo número, recomendo muito que experimente o JivoChat.

Listas de transmissão

Outra coisa muito útil no WhatsApp são as listas de transmissão. Com elas, você consegue fazer disparos de mensagens individuais para até 256 pessoas ao mesmo tempo. Para ter a lista de transmissão, você precisa seguir alguns passos:

- Criar a sua lista de transmissão.
- Pedir ao cliente que adicione você como contato. Caso contrário, a sua mensagem não será entregue.
- Disparar a mensagem para as pessoas que estão na lista de transmissão.

Você pode criar quantas listas de transmissão quiser no seu WhatsApp. Porém, pelos testes que fizemos aqui, quando você tem 15 listas de transmissão com 256 pessoas cada uma, as entregas começam a falhar.

Isso acontece porque as listas de transmissão não foram feitas para serem usadas em negócios, mas sim para envios pessoais, e por isso não estão preparadas para serem enviadas para um grande número de pessoas.

No nosso caso, usamos bastante para enviar avisos para alunos sobre novas aulas ou como lista VIP para envios de conteúdos.

E grupos, vale a pena?

Se você tem um negócio, não recomendo que crie grupos de WhatsApp. Só abro exceção para uma situação, que vou explicar daqui a pouco.

Eu não recomendo grupos por várias razões:

- Quando você deixa que todos interajam no grupo, em poucos dias estará recebendo mensagens de *bom dia* ou correntes de WhatsApp (jamais duvide do que o usuário é capaz de fazer. Vá por mim!).
- Se deixar o grupo fechado e só você postar, eles vão reclamar que não deixa eles enviarem mensagens.
- Além disso, é fácil pegar os números de grupos do WhatsApp. Já imaginou o seu concorrente chegar lá e pegar os números de todos os seus clientes ou potenciais clientes?
- Se você tiver um grande número de clientes, em poucos meses estará gerenciando vários grupos.

A única situação em que recomendo a utilização de grupos é em momentos específicos. Por exemplo: uma Black Friday. Você cria um grupo e apenas as pessoas dentro desse grupo poderão receber esses descontos. Quando terminar a Black Friday, você deleta o grupo. Problema resolvido.

2 DIVULGANDO AS SUAS REDES SOCIAIS GRATUITAMENTE

Agora que já explicamos como ter a sua página minimamente apresentável, chegou o momento de começar a conquistar os primeiros seguidores e potenciais clientes. Este é um dos momentos mais importantes, especialmente porque você vai começar criando a sua base e é fundamental que não cometa erros de principiante.

Nas próximas linhas, vou compartilhar várias estratégias de divulgação. Algumas podem ser exclusivamente numa rede social enquanto outras podem ser usadas em várias redes sociais em conjunto.

ESTRATÉGIAS DE DIVULGAÇÃO

Convites para amigos

A forma mais eficaz de angariar os primeiros fãs no Facebook é convidando os seus amigos. E fazer isso dentro do Facebook é muito fácil. Basta clicar nas reticências e depois em "Convidar amigos":

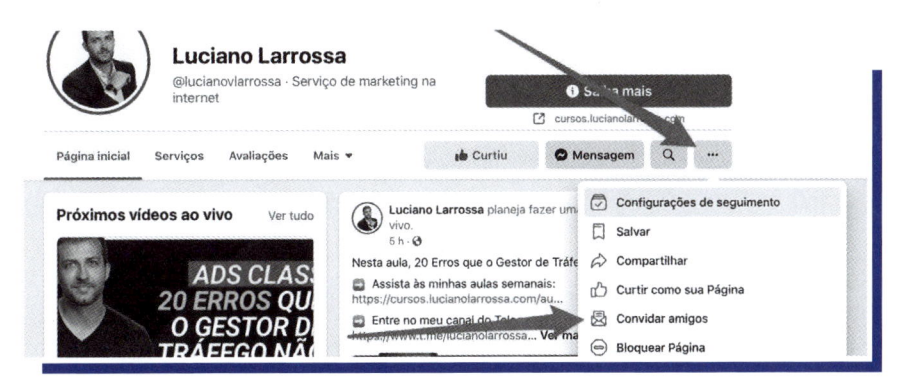

32. CONVIDAR AMIGOS

Depois basta clicar em "convidar" que, em poucos segundos, uma notificação aparecerá na conta desse amigo, avisando que a pessoa "x" o está convidando para curtir uma página. Rápido e muito eficaz. Veja como fica:

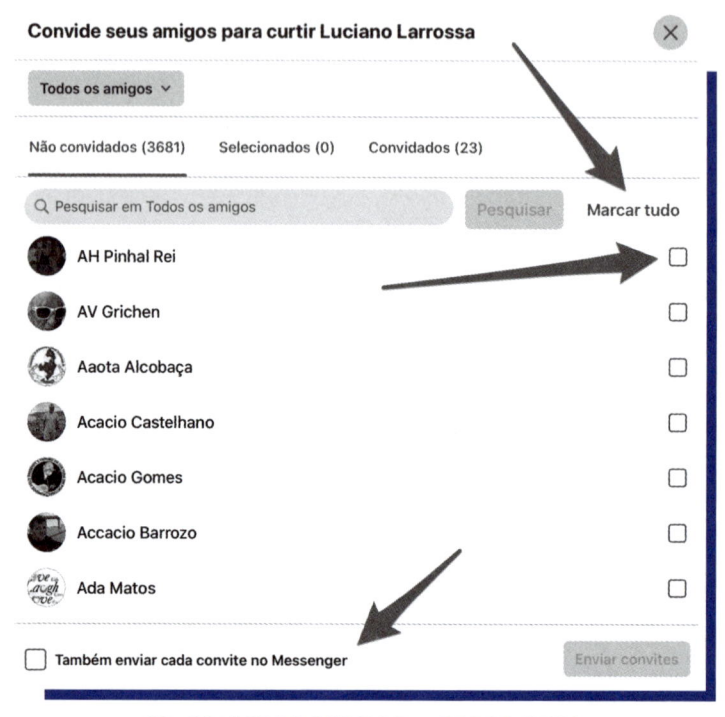

33. CONVIDAR AMIGOS — PASSO FINAL

Aqui você pode decidir convidar todos ou selecionar quais amigos quer convidar. E aqui está um detalhe muito importante. Recomendo que convide apenas os amigos que possam ter interesse naquilo que vai vender. Convidar amigos que jamais comprariam o seu produto é o mesmo que inflar a sua página com seguidores que jamais comprarão de você.

Insira o URL da página no final do email da empresa

Outra forma de ter mais pessoas visitando as suas redes sociais é colocando um link para elas no final do email. No meu caso, tenho um link para o Apptuts.bio no final do email. Você pode usar o Apptuts.bio no final do email e nele ter, por exemplo, os botões com os links para cada rede social. Isso funciona para Facebook, Instagram e WhatsApp.

> Abraço,
> Luciano Larrossa
>
> https://apptuts.bio/lucianolarrossa

34. ASSINATURA DO EMAIL

Junte-se a grupos no Facebook e WhatsApp em que estão os seus potenciais clientes

Os grupos no Facebook e WhatsApp são uma excelente forma de espalhar a palavra sobre a sua própria marca. Porém, é necessário que trabalhe essa questão de uma forma profissional.

Normalmente, a estratégia utilizada é a de começar a fazer publicações, pedindo para os integrantes dos grupos clicarem e seguirem o seu trabalho. Essa não é a melhor forma.

Para se destacar num grupo, recomendo que siga alguns princípios:

- Ajude outros membros do grupo com o seu conhecimento. Desta forma, eles vão começar a notar você como um especialista.
- Publique conteúdo de valor dentro do grupo. Isso vai fazer com que você seja visto como uma referência.

Eu mesmo quando estou em grupos com Gestores de Tráfego compartilho o meu conhecimento e ajudo muitos deles. Assim, o meu nome fica sendo cada vez mais conhecido e, de forma indireta, muitos deles acabam me seguindo nas redes sociais.

Faça transmídia

Para crescer suas redes sociais, uma boa forma de fazê-lo é levando os seus seguidores para as suas várias mídias.

Mas será que isso faz sentido? Será que vale a pena levar a pessoa de uma rede na qual ela está para uma rede que você não sabe se ela usa? Vale.

No mundo perfeito, os usuários seguiriam você numa rede social e veriam todo o conteúdo que você posta lá. Mas... isso não acontece! Veja o que sucede muitas vezes comigo na prática: eu publico algo no Instagram. Esse usuário me segue no Instagram mas não viu o meu conteúdo. Só que aí ele entra no WhatsApp e lá está a minha mensagem para ele!

Você precisa compreender que os seus conteúdos não são entregues a todos os seus seguidores e nem sempre eles estão naquela mídia no momento que você publica. Por isso, fazer com que os seus seguidores sigam você nas várias mídias é fundamental para garantir que a sua mensagem chegue ao máximo de pessoas possível.

O mesmo é válido se você tem uma lista de email. Criou suas redes sociais ou quer fazer elas crescerem? Dispare um email convidando as pessoas a participarem na sua rede social.

Compartilhe no seu perfil pessoal

Parece básico mas não custa lembrar, né? Começou uma rede social nova? Compartilhe no seu perfil pessoal, tanto do Facebook como do Instagram.

Faça lives em conjunto

Fazer lives em conjunto é algo extremamente poderoso, principalmente se o fizer no Instagram. Isso porque no Instagram, quando você faz uma live em conjunto com alguém, os seguidores daquela pessoa também visualizam a live e, se gostarem do conteúdo, podem passar a seguir você.

Interaja em outros perfis

Existe uma estratégia de crescimento bem interessante e que poucas pessoas usam: a de comentarem em outros perfis. Mas não estou falando daqueles comentários vazios do estilo *Nice Post!*. Estou falando de comentários produtivos! Eu, por vezes, vou no perfil de pessoas que trabalham na minha área e comento os conteúdos delas. Mas o objetivo não é apenas comentar por comentar: é acrescentar informação àquele post. Ao verem o meu comentário, os seguidores daquela pessoa visitarão o meu perfil e, se gostarem do meu conteúdo… também passarão a me seguir.

TRABALHANDO O SEU PÚBLICO-ALVO

Como você deve ter verificado ao longo dos pontos anteriores, falei sempre sobre a relevância de fazer convites apenas para aquelas pessoas que mais tarde ficarão interessadas nas suas redes. Essa é uma das formas de combater aquilo que eu chamo de "egométrica".

A egométrica não é mais do que ambição natural dos gestores de redes sociais em terem muitos seguidores em vez de se focarem a qualidade desses mesmos fãs. Não adianta querer ter uma página com 10 mil fãs que não estão interessados naquilo que você tem para vender. Mais vale ter mil fãs apaixonados pela marca do que ter 10 mil que não se interessam pelo seu conteúdo. Ficar focado no seu ego vai fazer você focar apenas o número de fãs em vez da qualidade. Ao longo deste livro, você perceberá que o número de seguidores é apenas uma métrica tão importante quanto tantas outras. Ter muitos seguidores não está, diretamente, relacionado com o fato de fazer mais vendas a partir das redes sociais.

Quando um gestor de redes sociais está apenas focado no número de fãs e seguidores, dá para concluir que algo na sua estratégia está errado. Obviamente, o número de pessoas que seguem suas redes sociais é importante. Publicar algo para 100 mil seguidores é diferente de fazer uma publicação para apenas mil. O impacto é muito maior. Contudo, é necessário que esses 100 mil sejam de qualidade e que estejam interessados nos seus conteúdos. Caso contrário, a interação deles será praticamente nula. A "cegueira" pelo número de seguidores acaba por trazer um prejuízo enorme em longo prazo.

Acredito que muitos profissionais caiam nesse erro, em parte, por falta de uma definição de um público-alvo. Eles não sabem a quem querem vender o seu produto e isso faz com que façam publicações sem objetivos previamente definidos. Por isso é muito comum ver empresas publicarem imagens com conteúdo humorístico apenas com objetivo de conseguirem curtidas e compartilhamentos. Isso só vai atrair seguidores vazios e que não vão interagir com a marca, visto que eles foram atraídos para aquela rede social esperando por mais conteúdos humorísticos.

O primeiro passo para entender quem é o seu público-alvo é tentar descrevê-lo em poucas palavras. Pense: quem é o seu cliente ideal? Aqui vão alguns pontos que devem ser analisados:

- É um público que, por norma, está em qual rede social?
- Que tipo de conteúdo esse público gosta mais? Imagens, textos, transmissões ao vivo ou conteúdos de blogs?

- Dentro desse tipo de conteúdo, que tipo de publicações ele prefere? Conselhos, novidades, compilações, estratégias, frases ou outras?
- É um público que normalmente compartilha ou apenas consome conteúdo sem interagir?
- Esse público tem o hábito de comprar pela internet ou é necessário encaminhá-lo para um espaço físico?

Aquilo que o seu público-alvo faz e escolhe condicionará toda a sua estratégia. Se esse mesmo público prefere imagens e você publica textos, não estará no caminho certo. Por outro lado, se esse público prefere comprar na sua loja física e você está tentando vender online, a sua estratégia também está errada.

Acredito que seja difícil ter uma noção clara das preferências do seu público logo ao início. E também é normal começar as suas redes sociais imaginando algumas características do seu público e depois precisar mudar porque, afinal, ele se comporta de forma diferente. É normal e só com a prática você terá maiores certezas. Como sempre digo: ação traz clareza.

Outra forma de começar a perceber o seu público-alvo é olhando para as estatísticas das suas redes sociais. Falaremos em breve sobre elas, mas recomendo que no início fique de olho nos números. Eles podem dar indicadores importantes sobre aquilo que o seu público está gostando ou não.

Mais à frente vou ensiná-lo a analisar as estatísticas de uma forma lógica, por isso, não se desespere se não conseguir perceber grande parte dos dados que estão na conta da sua rede social.

Nota: As estatísticas são importantes até certo ponto. Vejo muitos donos de negócios perdendo horas e horas analisando as estatísticas dos seus conteúdos. Olhe para elas de vez em quando, mas não vire um viciado em olhar esses números.

Análise psicográfica do público-alvo

Quando falamos em público-alvo, a análise inicial vai, normalmente, para as questões demográficas ou geográficas. Ou seja, os gestores de redes sociais normalmente só tentam analisar a idade e de onde são os seus seguidores. No entanto, existem outros fatores que devem ser analisados. A esses fatores damos o nome de análise psicográfica. Este termo diz respeito ao comportamento, estilo de vida e personalidade do seu seguidor. Vejamos cada um deles de uma forma mais pormenorizada:

- O comportamento está diretamente ligado à atitude dos seus seguidores em relação às suas publicações. O seu público é muito interativo? Geralmente comenta e compartilha? Ou apenas consome a informação que você compartilha?
- O estilo de vida vai dar-lhe respostas a muitos fatores. O principal está relacionado com os horários que eles estão nas redes sociais. Se o seu público tem um estilo de vida mais profissional, as publicações matinais talvez funcionem melhor do que as publicações no meio da tarde. Por outro lado, se tiver um público mais jovem, uma publicação à meia-noite pode gerar bons resultados. No estilo de vida também podemos englobar o tipo de conteúdo que eles preferem. Um público com um estilo de vida mais profissional talvez prefira conselhos ou frases motivacionais. Já um público mais jovem prefere conteúdo relacionado com entretenimento.
- Pensar na personalidade do seu público vai ajudá-lo a perceber melhor o tipo de conteúdo que vai partilhar com eles. Tente entender se o seu público é extrovertido, se gosta de inovação ou se gosta de informações em tempo real, por exemplo. Dialogar com um público que gosta de novidades em vez de fazê-lo com outro mais conversador, por exemplo, pressupõe estratégias de conteúdo completamente diferentes.

O meu conselho é que, antes mesmo de iniciar as suas redes sociais, faça o teste do Mapa da Empatia.

O Mapa da Empatia é um material usado para conhecer melhor o seu cliente. A partir dele você conseguirá conhecer melhor a personalidade do seu público-alvo. Ele faz seis perguntas com esse objetivo e, assim, determina melhor quais são os medos e dores. Ele é extremamente fácil de encontrar no Google e, em poucos minutos, você passará a conhecer ainda melhor o seu cliente ideal.

Está preparado para o consumidor 4.0?

Ao longo das últimas décadas, o comportamento do consumidor mudou drasticamente. Segundo os grandes especialistas em marketing, hoje estamos no Consumidor 4.0. Esse consumidor já não está apenas preocupado em comprar um produto que resolva o problema: ele quer um bom atendimento e ágil, usando para isso os canais digitais.

Se você não conhece as quatro fases do consumidor, deixa eu dar um resumo rápido para você:

- **Consumidor 1.0:** Ele apenas queria ver o seu problema resolvido. Como a quantidade de marcas disponíveis no mercado era pequena, ele apenas queria saber as especificações técnicas.
- **Consumidor 2.0:** *Com mais marcas no mercado, por que razão eu devo escolher a marca A em vez da marca B?* Essa era a forma de pensar do consumidor 2.0. Por isso, as marcas pararam de focar as especificações técnicas e começaram a alertar sobre os problemas. Começaram a levantar os problemas dos consumidores e a apresentar o seu produto como solução.
- **Consumidor 3.0:** O consumidor agora começou a precisar ter uma sensação de pertencimento. *Quais os valores que esta marca defende? Como ela se posiciona sobre determinados temas?* Esses são alguns

questionamentos que os consumidores passaram a ter antes de comprar.

- **Consumidor 4.0:** Ele quer que a marca se posicione e, além disso, pretende ser atendido pelos vários canais digitais e com agilidade.

Ao começar a trabalhar com as suas redes sociais, é importante que a sua marca tenha uma voz, que ela tenha opinião própria e que não tente agradar a todos, mas sim à própria tribo.

Deixe-me dar-lhe o exemplo da minha marca.

Eu, Luciano Larrossa, sou uma pessoa relativamente tímida, gosto de ser educado, não sou demasiado agressivo na venda e acredito que não devemos ser de extremos. E faço questão de reforçar isso em muitos dos meus conteúdos. Desta forma, toda a minha forma de falar, todos os meus conteúdos e todos os meus produtos refletem esses valores, que são os que eu acredito.

Por isso, quem for me acompanhar, não espere palavrões, que eu seja agressivo com a audiência ou que faça grandes promessas na venda dos meus produtos. Existem profissionais que fazem questão de reforçar esses valores, e está tudo bem. Eles têm a audiência e a tribo deles e eu tenho a minha.

Outro dia li uma frase bem interessante que resume tudo isso: "Seja quente ou seja frio, só não seja morno".

A empatia

Uma das coisas mais difíceis de conseguir nas redes sociais é a empatia. Ou seja, a capacidade de estar no papel do seu potencial cliente e sentir o que ele sente, da forma como ele sente.

As redes sociais trouxeram a possibilidade dos pequenos e médios empreendedores fazerem algumas ações de marketing para os seus negócios. Isso trouxe coisas muito boas, mas também outras menos boas.

E na parte menos boa, a verdade é que muitos empreendedores ainda não aprenderam a se comunicar com os seus clientes. Continuam a se comunicar como se estivessem falando para os seus colegas de profissão, usando termos técnicos e falando palavras que os seus potenciais clientes não vão entender (lembre-se do consumidor 2.0).

Ter uma linguagem de simples entendimento — que é diferente de uma linguagem pobre em termos de conteúdo — vai ajudar as pessoas a se conectarem com a sua marca e, com isso, prestarem mais atenção ao seu conteúdo.

Por isso, antes de publicar seu próximo post, reflita: esse texto foi escrito para si e os seus colegas entenderem ou foi escrito para o seu potencial cliente entender?

Enquanto escrevo este livro, por exemplo, tenho como objetivo que qualquer um entenda sobre redes sociais. Se utilizasse termos demasiado técnicos, facilmente o leitor abandonaria o livro. Por quê? Porque não sentiria ligação. Uma escrita muito difícil dificulta a conexão.

E, especialmente quando falamos de redes sociais, o tempo para conseguir chamar a atenção do leitor é muito curto. São apenas alguns segundos. Se a sua publicação for de difícil entendimento, é muito fácil ele continuar a fazer *scroll* e ir para o próximo conteúdo.

Por vezes, menos é mais.

Qual o motivo das pessoas estarem nas redes sociais?

Já falei, ao longo deste livro, que ninguém entra nas redes sociais para ver anúncios, lembra? Mas então o que faz as pessoas estarem nessas mídias? Por que elas não estão em sites, por exemplo? Na verdade, você precisa compreender que as pessoas estão tanto no Facebook como no Instagram ou YouTube para fazerem essencialmente três coisas:

- **Educação:** As pessoas navegam pelas redes sociais com o intuito de aprender algo novo. Este tipo de usuário dá grande foco a vídeos e grupos.
- **Entreter:** São pessoas que entram nas redes sociais para rir. Adoram *memes* e os vídeos engraçados do momento.
- **Informar:** Este tipo de usuário quer, especialmente, saber sobre a última notícia do momento em várias áreas.

A questão aqui é: a sua marca está fazendo algo que cumpra esses três requisitos? Olhe para os seus últimos posts. Em algum momento você educou, entreteve ou informou o seu público?

O processo de funil

Vamos finalizar esta parte do público-alvo falando um pouco mais do funil. Este é o percurso que o seu cliente final percorre antes de fazer a compra. Muitos donos de redes sociais acham que é só criar as suas contas nas redes sociais, fazer meia dúzia de posts e já começar a vender. Errado, errado e errado.

Esqueça, por momentos, o mundo online. Vamos passar para o offline. Pense numa loja física. Quando o cliente não conhece a loja, nunca ouviu falar sobre ela e nunca passou pela frente dela, e mesmo assim decide entrar, ele não toma a decisão de compra no primeiro minuto, certo? Ele vê se tem o produto que pretende comprar, as condições de garantia, tira dúvidas sobre o produto e, provavelmente, vai sair da loja e comparar preços em outras antes de tomar a decisão. Durante esse tempo, ele tenta responder a várias perguntas na sua mente, tais como:

- Esta loja é de confiança?
- Será que não serei enganado?

- Será que este produto não está mais barato em outro local?
- Será que não posso resolver o meu problema com um produto mais barato?
- E se estragar, será que eles ajudam a recuperar este produto?
- Se eu adiar a minha compra, conseguirei resolver o problema mais tarde?
- Este produto realmente já resolveu o problema de outras pessoas?

E por aí vai. Para perceber isso, é muito simples. Tente prestar atenção a todos os pensamentos e objeções que cria na sua mente. Especialmente se for um produto um pouco mais caro e menos urgente. Você verá como várias questões surgirão de forma automática no seu cérebro sem que você perceba. O mesmo acontece com os seus clientes!

E, se isso acontece offline, imagine no mundo online! As dúvidas que já acontecem no offline ganham proporções ainda maiores no online! Por isso, é muito importante que pense em todo o processo de funil antes da compra. Vejamos:

- O usuário vê, por algum motivo, um anúncio seu ou um post compartilhado por um amigo e se interessa pelo que viu.
- Vê o conteúdo e vai ver outros posts da sua conta.
- Começa a acompanhar o seu trabalho.
- Passa a ver outros conteúdos e interage com alguns deles.
- Começa a gostar daquilo que você publica e sente vontade de comprar um produto seu.
- Entra no site mas primeiro vê as avaliações das outras pessoas e os comentários sobre o produto que quer comprar.

- Fala com você pelo Messenger ou WhatsApp para tirar potenciais dúvidas.
- Vai para o site e faz a compra.

Todos esses passos que enumerei funcionam num processo de funil, isso porque o primeiro passo tem sempre mais pessoas e depois ele vai descendo, até que restam bem menos pessoas no último passo do processo.

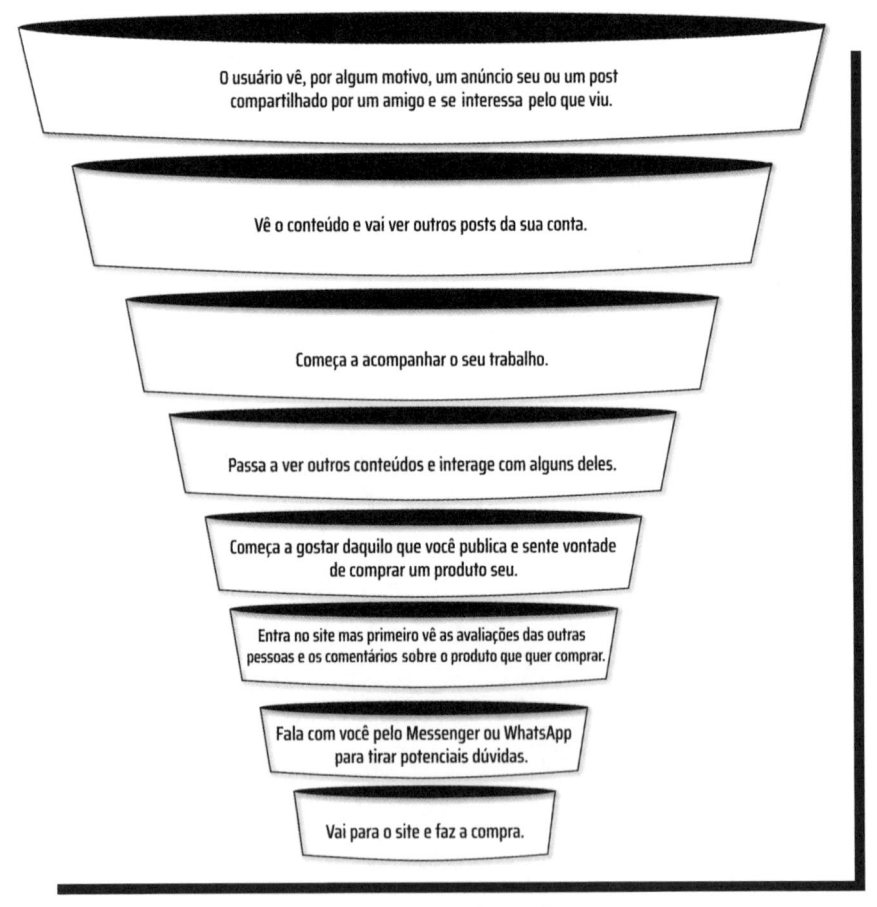

```
O usuário vê, por algum motivo, um anúncio seu ou um post compartilhado por um amigo e se interessa pelo que viu.

Vê o conteúdo e vai ver outros posts da sua conta.

Começa a acompanhar o seu trabalho.

Passa a ver outros conteúdos e interage com alguns deles.

Começa a gostar daquilo que você publica e sente vontade de comprar um produto seu.

Entra no site mas primeiro vê as avaliações das outras pessoas e os comentários sobre o produto que quer comprar.

Fala com você pelo Messenger ou WhatsApp para tirar potenciais dúvidas.

Vai para o site e faz a compra.
```

35. FUNIL DE VENDAS

Obviamente, isso não quer dizer que todas as compras tenham que respeitar essa ordem. Muitos conhecem a sua conta no Instagram ou no Facebook, veem meia dúzia de publicações e já compram. Outros acompanham páginas durante anos e interagem mas nunca compram nada.

O que pretendo realçar é que a consistência de conteúdo e a persistência são fundamentais para fazer vendas online e nas redes sociais. A parte positiva é que, quanto mais histórico e nome tiver na internet, mais fácil será converter as pessoas que conhecem a sua marca em clientes.

3 ALGORITMO DAS REDES SOCIAIS: COMO ELE FUNCIONA?

O que é o algoritmo?

Falar atualmente em redes sociais é falar em algoritmos. São eles os responsáveis por nos manter tanto tempo nas redes sociais. Criado inicialmente pelo Facebook e depois expandido para o Instagram, o algoritmo escolhe aquilo que você vê, quando vê e como vê. Parece meio louco, mas não é você quem toma a decisão do que vai ver ou não numa rede social: é o algoritmo.

Você já deve ter reparado que não vê todo o conteúdo das páginas e contas que segue. E também já deve ter reparado que existem algumas páginas e contas que mostram mais conteúdo para você. Tudo isso é culpa do algoritmo.

Mas, afinal, para que serve esse algoritmo e por que dele existe?

No início, quando o Facebook e o Instagram foram criados, o seu feed era cronológico. Ou seja: quando o usuário entrava ele via o conteúdo publicado mais recentemente pelas pessoas que ele seguia. E estava tudo bem. O problema é que o número de contas foi crescendo e foi se tornando humanamente impossível conseguir acompanhar tudo. A cada minuto, o usuário comum recebia centenas de publicações. Era impossível acompanhar.

E, para resolver esse problema, o Facebook criou o que, naquela altura, era chamado de *EdgeRank*. Esse era o nome do algoritmo inicial do Facebook. Depois, ele ganhou o nome da *Ranking*. Independentemente da nomenclatura, é importante que você entenda como os algoritmos funcionam.

O Facebook faz isso para ajudar o usuário a ter mais conteúdo de seu interesse, mostrando as publicações que são mais relevantes para ele. Dessa forma, as redes sociais mantêm o usuário por mais tempo, aumentando a chance de apresentarem anúncios e, com isso, aumentando a rentabilidade da plataforma.

Nas mídias sociais acontece aquilo que é chamado de economia da atenção. Onde existe tanto conteúdo, quem conseguir produzir um melhor conteúdo e ser mais criativo é aquele que vai ganhar a *guerra* pela atenção dos seus fãs e seguidores.

O algoritmo funciona mais ou menos como o sistema de indexação de artigos do Google. Os textos que são mais lidos, que recebem mais links e que são mais compartilhados aparecem em primeiro lugar nos motores de busca. Logo, são mais relevantes.

A parte positiva do algoritmo é que você pode usar ele a seu favor. Se souber como *jogar o jogo*, poderá publicar conteúdos que melhorem o seu relacionamento com fãs e seguidores e, dessa forma, o conteúdo aparecerá mais para eles.

Como melhorar o algoritmo?

Agora que você já sabe que existe um algoritmo, chegou a hora de se adaptar a ele. Ao longo das próximas linhas mostrarei como você pode usar ele a seu favor e aumentar suas chances de sucesso.

Tempo

É nas primeiras horas que os seus posts atingem mais pessoas. Se reparar, quando você publica um conteúdo, é nos primeiros minutos que ele recebe as primeiras curtidas e comentários.

Mas, Luciano, quanto tempo o meu post fica sendo mostrado para as pessoas?

Isso depende de vários fatores, mas por norma é nos primeiros 30 minutos que você receberá grande parte das suas interações. Por isso, é muito importante definir em qual momento do dia você vai publicar.

Por norma, as pessoas estão online em três grandes momentos do dia: manhã, almoço e noite. Para decidir qual o melhor momento para você, reflita: em quais momentos do dia as pessoas do seu nicho costumam estar online?

Você pode analisar isso olhando para as estatísticas da sua página de Facebook ou de Instagram, caso já tenha uma.

Mas o melhor jeito de definir qual o melhor momento do dia para publicar é testando. Teste publicar pela manhã, durante a tarde ou à noite. E vá analisando os resultados. Aliás, se você quer ser bem-sucedido(a) ao trabalhar na internet, uma coisa que precisa se acostumar a fazer o tempo todo é testar. Teste, teste, teste e tire suas próprias conclusões.

Afinidade

A afinidade não é mais do que a relação mútua que existe entre a sua conta e o seu seguidor. Se o seu seguidor ou fã comenta os seus posts ou fala com você por mensagem privada e você responde, está aumentando a afinidade que existe entre vocês e, desta forma, aumenta as chances de ele ver um conteúdo seu quando você publicar.

Por isso, uma coisa é clara aqui: você precisa levar o seu usuário a comentar ou deixar mensagem privada. Sem isso, logo o seu conteúdo deixará de ser mostrado para ele. Por isso, é útil fazer de vez em quando algum conteúdo que peça o comentário do usuário ou que peça para ele enviar mensagem privada se tiver interesse.

Peso da ação

As redes sociais atribuem diferentes pesos às diferentes ações dos fãs e seguidores. É como se cada ação que o usuário fez no seu post desse *pontos* para você, mas cada ação tem um peso diferente. Por exemplo:

- Comentar tem um peso maior do que apenas curtir.
- Compartilhar o post tem um peso maior do que apenas visualizar.
- Salvar o post tende a ter um peso maior do que o comentário.

As redes sociais nunca deixam muito claro como funcionam os algoritmos delas, então todas as considerações que deixei são baseadas em estudos que tenho acompanhado e testes que tenho realizado. Mas este, sem dúvida, parece ser um padrão das redes: quanto mais trabalho o usuário tem para fazer uma ação, mais *pontos* ela tem para o algoritmo.

Comentários negativos

Este fator do algoritmo tem uma relevância muito grande, pois ele é um excelente indicador de que algo nas suas publicações não está correto. Se a sua Fan Page ou conta de Instagram receber muitos comentários negativos num post, é sinal de que a sua estratégia de conteúdo não está sendo a melhor.

Mas, afinal, o que são comentários negativos?

Comentários negativos não são quando alguém diz que o seu post foi ruim. Facebook e Instagram consideram negativos quando alguém faz uma reclamação na própria rede social sobre o seu post. Quando alguém clica nos três pontinhos do post e avisa o Facebook ou Instagram que aquele post é spam ou não tem interesse em ver aquele conteúdo, as redes sociais consideram isso como um comentário negativo. Muitos comentários negativos podem prejudicar aquele mesmo post ou a sua conta inteira.

Formato de conteúdo. Isso importa?

O formato do conteúdo — se é vídeo, imagem, carrossel etc. — também é um fator que conta para o peso do algoritmo, mas talvez mais de uma forma indireta. Vamos a um exemplo: se o usuário passa 10 minutos vendo um vídeo seu, por exemplo, isso tem muito mais peso do que se passar 10 segundos vendo uma imagem sua.

Mas isso significa que vídeo é melhor? Com certeza que não. O importante é lembrar da regra que expliquei acima: quanto maior a dificuldade da ação do usuário, mais peso isso tem para o algoritmo.

Então, não existe uma regra se é melhor vídeo ou imagem, mas sim você entender qual formato de conteúdo está dando resultado para você. Durante os últimos meses no Instagram, por exemplo, os melhores formatos têm sido os carrosséis. Pois como ele gera bastante conteúdo, as pessoas tendem a salvar esse tipo de post e isso é extremamente relevante para o algoritmo do Instagram.

A resposta ao melhor formato para você passará sempre pelos testes que fará com a sua audiência. Se você está começando, um bom atalho é ver aquilo que seus concorrentes estão fazendo e tentar entender se existe um formato de conteúdo que gere melhores resultados para o seu nicho.

Aproveite quando alguma novidade é lançada

Os algoritmos das redes sociais fazem algo bem interessante que poucas pessoas estão aproveitando. Quando algum novo formato de conteúdo é lançado, tanto Facebook como Instagram dão um maior alcance para esse novo formato. Quando o Instagram lançou o *Reels*, por exemplo, cada novo vídeo que era feito lá tinha um alcance absurdo! Quem aproveitou esse novo formato conseguiu um alcance excelente.

Qual o motivo das redes fazerem isso? Simples: quando elas lançam um novo formato, elas querem duas coisas:

1. Que mais pessoas saibam dele e comecem a usá-lo.
2. Que eles recolham o maior número de dados possíveis, para saberem como melhorar esse formato.

Por esse motivo, no início eles querem que milhões e milhões de pessoas vejam conteúdo naquele formato, pois isso vai permitir acelerar tanto a novidade como recolher o máximo de dados possíveis.

Por isso, a minha recomendação é que, se foi lançado algum novo formato de conteúdo, explore ele ao máximo. Aproveite para surfar na onda da novidade.

Use os comentários a seu favor

Como já vimos, os primeiros minutos dos seus posts são fundamentais. Porém, existem algumas estratégias que podem potenciar ainda mais esses primeiros minutos. A mais conhecida é a de responder aos comentários o mais rápido possível. Assim, forma-se uma conversa interessante, o que leva o algoritmo a entender aquele seu post como ainda mais relevante.

Porém, existe uma estratégia que pode ajudar ainda mais: responda a um comentário com uma pergunta. Vamos a um exemplo. Imagine que fiz um post sobre *Os melhores tipos de anúncios para negócios locais*.

- **Seguidor A:** Luciano, amei esse post, vou salvar!
- **Eu:** Legal Seguidor A, qual desses tipos de anúncios costuma usar mais? Conta para a gente :)

Ao fazer uma pergunta para ele, a tendência é que ele faça um novo comentário. Desta forma, de um único comentário de um seguidor são gerados mais dois (um meu e outro dele, caso responda à pergunta). Imagine isso multiplicado por 10 ou 20 comentários. Teste essa estratégia e não irá se arrepender.

Coloque a sua personalidade no seu conteúdo

Caso você tenha uma marca pessoal, o que vou falar ao longo das próximas linhas pode ser determinante para você ter mais sucesso nas suas redes. Há quem diga que a melhor forma de ter sucesso nas redes sociais é criando conteúdo. Eu discordo. Não que o conteúdo não seja relevante. Ele é. Mas só criar conteúdo por criar não vai levá-lo a lugar algum.

Atualmente, com a imensidão de conteúdo que existe na internet, o melhor jeito de se destacar é colocando sua própria personalidade no conteúdo. Você é único(a). Você tem um perfil único, com desejos únicos e crenças únicas. O conteúdo pode ser copiado. Mas o conteúdo com a sua personalidade, não.

Se você quer se destacar na multidão e criar a sua legião de fãs e seguidores numa rede social, precisa colocar um pouco da sua personalidade no seu conteúdo. As pessoas já não seguem outras apenas pelo conteúdo, mas sim pela pessoa que cria o próprio conteúdo.

Veja o caso dos influenciadores. A partir de 2018 o mundo dos influenciadores cresceu bastante. Qual o motivo das pessoas seguirem os influenciadores? Se os influenciadores colocassem outra pessoa no lugar deles produzindo o mesmo conteúdo, será que o resultado seria o mesmo? Provavelmente não! Porque as pessoas seguem esse influenciador não só pelo conteúdo que ele produz, mas também por ser ele a produzir aquele conteúdo.

A época em que o importante era agradar a todos terminou. Agora você precisa agradar a sua tribo. Precisa liderar um movimento. Saber quem deve segui-lo e quem não deve. Pense nisso.

Constância é determinante

Ser constante é o principal segredo para ser bem-sucedido nas redes sociais. Por isso, aqui vai um conselho: jamais deixe a conta da sua rede social muito tempo sem publicações. Isso acabará por prejudicar tanto a nível de algoritmo como a nível de relacionamento com quem o segue. Quem não é visto não é lembrado e, se ficar muito tempo sem publicar, é bem provável que a relação com o seu público *esfrie*.

Mas, afinal, o que é ser constante? Isso significa publicar todos os dias? Ou mais de uma vez por dia? É difícil ou até irresponsável apontar um número certo de posts que deve fazer por dia ou por semana. Cada negócio tem o seu próprio ritmo, cada negócio tem a sua própria consistência de comunicação. Já vi contas bem-sucedidas que publicavam uma vez por dia mas também já vi páginas de sucesso com quatro posts por dia, sete dias por semana.

Esqueça estudos que indicam que o ideal é postar Xs publicações por dia. A melhor estratégia que deve adotar é a realização de testes constantes. Experimente publicar três vezes por dia durante um mês. Depois disso, analise os resultados e defina se essa é a melhor estratégia para si. De acordo com os resultados, aposte em mais ou menos publicações.

Pela minha experiência, posso dizer que grande parte das contas de sucesso seguem, no que toca à constância, algumas destas regras:

- Publicam praticamente todos os dias. A consistência só costuma diminuir ao final de semana.
- As contas de sucesso focam mais a qualidade do que a quantidade. A qualidade sobrepõe-se sempre à quantidade.

Se você não tem tempo para publicar conteúdo constantemente, considere contratar um Gestor de Redes Sociais ou um Assistente Virtual para auxiliá-lo nesse tipo de trabalho.

4 COMO ANALISAR AS ESTATÍSTICAS DAS SUAS REDES SOCIAIS

Uma das maiores preocupações que os donos de negócios têm quando iniciam a sua presença nas redes sociais é a de prestarem atenção às suas estatísticas. Eles logo querem saber quantas curtidas um post teve, quantos comentários gerou ou quantas pessoas alcançou. Porém, vou revelar algo um pouco polêmico, mas preciso falar a verdade para você: a maioria dos dados que as redes sociais mostram não serve para nada. Exatamente o que você leu. Todos aqueles nomes que aparecem nas estatísticas mais confundem do que ajudam.

Por isso, neste capítulo vou mostrar para você quais as estatísticas essenciais e que são transversais tanto para o Facebook quanto para o Instagram. Aliás, são estatísticas presentes em praticamente todas as redes sociais. Por isso, se você estudar bem este capítulo, o seu conhecimento poderá ser utilizado ainda para outras redes, como YouTube, TikTok, Pinterest, entre outras.

Vamos aos dados mais importantes:

Curtidas/Likes

São ações que os usuários têm ao visualizar o seu conteúdo. Um coração no Instagram ou uma curtida no Facebook é, sem dúvida, uma das métricas mais importantes. Apesar de ser verdade que curtidas não pagam contas, também é verdade que elas são um claro sinal de que o usuário gostou daquilo que você publicou. Por isso, considero sim essa métrica como uma das mais importantes. Quanto mais curtidas o seu post tem, mais ele tende a ser mostrado ao restante dos seguidores.

Comentários

Os comentários são determinantes, tendo inclusive um peso maior do que as curtidas no algoritmo. Por esse motivo, é importante criar conteúdo que leve o usuário a comentar. Para conseguir isso você pode, no final dos seus posts, escrever frases que levem o usuário à ação, como:

E você, concorda com esta afirmação?

E você, quais destes prefere?

E você, já passou por esta situação?

E você, o que faria nesta situação?

Entendeu a dinâmica? Convidar o usuário a participar no post é uma excelente forma de levá-lo a comentar. Obviamente, essa estratégia não vai garantir comentários, mas vai deixar você muito mais próximo(a) de conseguir comentários.

Salvamentos

Sabe aquela opção de salvar conteúdo para ver depois que existe no Facebook e no Instagram? Pois é, o algoritmo adora essa métrica. Há quem diga que ela é mais importante que os comentários, inclusive. Por isso, pense: como posso criar posts que os usuários tenham vontade de salvar?

No meu caso, que trabalho com educação e conteúdo, criar posts com tutoriais e listas de aplicativos geram sempre muitos salvamentos, pois as pessoas querem guardar para reverem esse post depois.

Seguem outros exemplos:

- Uma professora de inglês pode criar posts com dez expressões típicas de Inglaterra.
- Um Personal Trainer pode listar vários alimentos essenciais pós-treino.
- Uma professora de balé pode fazer um post dando vários conselhos sobre um determinado passo.

Obviamente, em algumas áreas será mais difícil criar posts salváveis. Não consigo imaginar um eletricista ou um contador criando muito conteúdo salvável. Pode ser que aconteça, mas sem dúvida que em algumas áreas é mais complicado do que em outras. Resumindo: crie posts com tanto valor que as pessoas têm vontade de salvá-lo.

Compartilhamentos

Outra métrica determinante. Quantas vezes o seu post é compartilhado é uma clara demonstração de que ele foi interessante para as pessoas a ponto de elas quererem compartilhar para seus amigos e seguidores. Além disso, os compartilhamentos podem ser o combustível necessário para o seu post ser visto por outras pessoas além dos seus seguidores e fãs. Nos meus posts, essa é uma das métricas em que mais presto atenção.

Alcance

O próprio nome fala por si só. Alcance é quantas pessoas o seu post alcançou. E isso é relevante? Por norma, maior alcance depende de maior interação. Ou seja, quanto mais curtidas e comentários tiver, a mais pessoas o algoritmo vai mostrar o seu post, pois entende que ele está sendo mais interessante. Logo, o seu alcance tende a ser maior. Entendeu? O alcance está diretamente ligado à quantidade de engajamento do seu post. Mais engajamento significa mais alcance.

Impressões

Nos meus treinamentos, uma das dúvidas mais comuns é: Qual a diferença entre Alcance e Impressões?

> *Costumo responder com uma analogia bem simples.*
>
> *Imagine que, na sua cidade, existe um outdoor.*
>
> *E eu passo por aquele outdoor.*
> *Fui a única pessoa a passar por ele.*
>
> *Quantas pessoas esse outdoor alcançou?*
> *Uma (eu mesmo).*
>
> *E agora volto e passo novamente*
> *por aquele outdoor.*
>
> *Quantas pessoas ele alcançou?*
> *Continua a ser apenas eu.*
>
> *Mas quantas vezes ele foi impresso?*
> *Duas. Duas vezes para mim.*

Entendeu a diferença? Alcance é a quantas pessoas o seu post alcançou. Já impressões é quantas vezes ele foi impresso, sendo que quase sempre as impressões de um post são maiores do que o alcance.

Não preciso analisar mais dados, Luciano?

A probabilidade de ter que analisar mais dados do que esses é bem remota. Obviamente, existem exceções. Vamos a alguns exemplos:

- Se o seu post é em vídeo, você pode querer analisar a quantidade de visualizações ou o tempo médio de visualização do seu vídeo.
- Se o seu objetivo com o post é gerar mensagens para o seu negócio, uma das métricas pode ser a quantidade de mensagens.
- Se você fez uma live, uma das suas métricas principais é a quantidade de pessoas na live.

Espero, com as últimas linhas, ter tirado um peso dos seus ombros. Aquelas centenas de métricas das redes sociais são, na maioria dos casos, completamente irrelevantes para 99% dos produtores de conteúdo. Preocupe-se em mensurar a quantidade de curtidas, comentários, salvamentos, compartilhamentos, alcance e impressões e já estará perfeito. Menos é mais.

Como calcular a taxa de interação do seu conteúdo?

Agora, vou passar para você uma fórmula que permite analisar mais facilmente se o seu conteúdo teve ou não uma boa taxa de interação. A fórmula para saber isso é a seguinte:

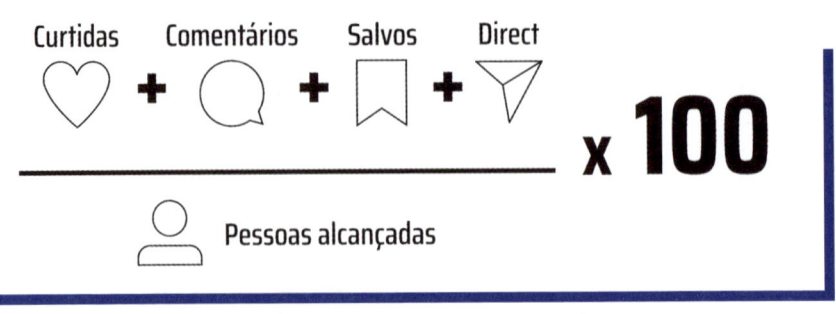

$$\frac{\text{Curtidas} + \text{Comentários} + \text{Salvos} + \text{Direct}}{\text{Pessoas alcançadas}} \times 100$$

36. ANÁLISE DA TAXA DE INTERAÇÃO

A melhor forma de utilizá-la é comparar os seus próprios posts e ver qual deles tem uma taxa de interação maior. Assim, ficará mais fácil identificar padrões e replicar isso para ter posts com mais interação.

Devo analisar as estatísticas de quanto em quanto tempo?

Agora chegou o momento de quebrar outro paradigma. Existem várias pessoas que são viciadas em analisar métricas. Fazem isso diariamente. A não ser que você seja um profissional de redes sociais e precisa fazer isso para os seus clientes, acho uma perda de tempo ficar analisando diariamente suas métricas.

Analisar semanalmente todos os posts da semana é mais do que suficiente para tirar conclusões. E esqueça aquelas planilhas mirabolantes repletas de dados. Use as que mostrei e isso será suficiente.

Cada post tem um propósito diferente

Nem sempre o seu conteúdo precisa ser focado em aumentar a interação com os seus seguidores. Às vezes, existem conteúdos com propósitos diferentes, como venda ou para divulgar novos serviços do seu negócio.

Eu sei que um conteúdo meu de venda sempre tende a ter menos interação do que um conteúdo que eduque o meu público. Porém, ele pode me trazer aquilo que é mais importante para o meu negócio: vendas.

O meu conselho é: não fique preso apenas a conteúdos que entretenham os seus seguidores. Por vezes você precisará vender e está tudo bem com isso. Afinal de contas, as vendas são o combustível do seu negócio e você precisa delas!

Aplicativos e ferramentas que podem ajudar a analisar as estatísticas

Se você é uma pessoa que gosta de poupar tempo nas suas análises, uma boa escolha é usar aplicativos e ferramentas que o auxiliem nos seus relatórios. A seguir, disponho algumas ferramentas que recomendo.

1. Mlabs

O Mlabs faz bastante sucesso no mercado brasileiro e o seu fundador, Rafael Kiso, é inclusive um profissional que admiro bastante. Com o Mlabs você conseguirá ter uma noção clara da interação dos seus posts, saber quais os posts que geraram melhores resultados e também monitorar seus concorrentes. Com gráficos muito bem organizados, o Mlabs facilita bastante na hora de analisar seus dados.

2. Reportei

Focado em relatórios, o Reportei é outra ferramenta brasileira de bastante sucesso. Ela gera relatórios em apenas três segundos e todos eles são bastante customizáveis. Além de Facebook e Instagram, ele também gera relatórios de outras plataformas, como YouTube ou Google Analytics.

3. Postgrain

Focado apenas em Instagram, o Postgrain permite que você faça a análise da performance dos seus posts, mas ele ainda tem outras funcionalidades bastante interessantes, como a possibilidade de gerenciar as mensagens do seu Instagram por lá, agendar posts e trabalhar em equipe.

4. Agorapulse

O Agorapulse é uma ferramenta mais robusta e mais indicada para quem tem uma equipe e precisa gerenciar várias redes sociais. Com ele você consegue ter relatórios de várias redes, como Facebook, Instagram, Twitter, LinkedIn ou YouTube.

Na parte dos relatórios, um detalhe interessante do Agorapulse é que ele indica para você, segundo as suas estatísticas, quais os melhores horários e dias para publicar conteúdo. Poderá, também, fazer comparações com os concorrentes e ainda ter toda uma equipe de atendimento trabalhando no suporte dentro do Agorapulse.

5. Social Blade

Com ele, você conseguirá ver quantos seguidores tem ganhado diariamente no Instagram. Esta é uma ferramenta 100% gratuita e que vai ajudar você a ter também acesso a dados interessantes sobre outras redes, como YouTube ou Twitter. Com ele, você consegue também ver quantos seguidores tem ganhado por mês, quantos conteúdos publicou por mês ou quantas pessoas tem deixado de seguir diariamente. Excelente para quem se preocupa com métricas de Instagram.

5

13 IDEIAS DE PUBLICAÇÕES PARA FAZER NAS SUAS REDES SOCIAIS

Agora que você já entendeu como funciona o algoritmo e como pode analisar as estatísticas das suas redes sociais, chegou o momento de pensar nos tipos de conteúdo que pode criar para todas as suas redes sociais e para o WhatsApp. Ao longo das próximas linhas darei várias ideias de conteúdo que pode utilizar ao longo de meses.

1. Conteúdos educativos

Se você trabalha no mercado de educação ou de serviços, criar conteúdo com o intuito de educar o seu público é fundamental. Obviamente, precisa fazer isso de forma estratégica. No meu caso, publico conteúdo relacionado a anúncios pagos de Facebook e Instagram. Ensino as pessoas a usarem melhor os anúncios nas redes sociais por meio do meu conteúdo. E ele está lá: 100% gratuito nas redes sociais.

Porém, acredito que você possa estar pensando:

Mas Luciano, se você ensina tudo isso de graça nas redes sociais, por que as pessoas compram o seu curso, a sua mentoria ou o seu livro?

Pelo mesmo motivo de você ter comprado este livro. Tem muita gente que não conhece o meu trabalho, muita gente que quer consumir o conteúdo de uma forma diferente ou quer um acompanhamento diferente.

As pessoas estão dispostas a pagar, por exemplo, um valor por este livro por várias razões. Porque querem consumir o conteúdo em papel ou porque querem a informação organizada são apenas alguns dos motivos.

Repare, você é o melhor exemplo disso: com tanto conteúdo meu distribuído por aí, por que comprou o meu livro? Você mesmo(a) saberá responder a essa pergunta.

Por isso, quebre essa crença de que, se publicar muito conteúdo, as pessoas comprarão menos de você. Na verdade, quanto mais publica conteúdo, mais as pessoas compram de você!

Ok, Luciano, você me convenceu. Mas como crio conteúdo educativo nas minhas redes?

Se você trabalha com serviços ou tem uma marca pessoal, use as redes sociais para demonstrar o que sabe fazer. Confira alguns exemplos:

- Um professor de tênis pode gravar vídeos mostrando alguns erros técnicos que o aluno pode cometer.
- O médico pode criar conteúdo falando sobre determinados sintomas e o que eles podem significar.
- O fisioterapeuta pode dar conselhos de como evitar lesões trabalhando em casa.

E por aí vai. Entendeu a ideia? Eduque sua audiência e eles recompensarão espalhando seu nome e contratando você.

2. Conte histórias

Eu sei que você deve estar pensando: *Luciano, ninguém quer saber das minhas histórias!* Lamento informar, mas você está redondamente enganado(a).

Desde os tempos pré-históricos, os seres humanos se comunicam mediante histórias. Antigamente desenhavam nas cavernas, depois passaram a escrever no papel e hoje em dia contam suas histórias por meio das redes sociais. Na internet não é diferente. Os seres humanos estão nas redes à procura de novas histórias. E essas novas histórias podem ser contadas por jornais, influenciadores ou pela sua marca.

Pode parecer estranho, mas as pessoas adoram saber as dificuldades que você ultrapassou, as vitórias que conseguiu ou a sua forma de agir em determinadas situações.

E, se tudo isso está parecendo muito esquisito para você, eu compreendo: eu mesmo era assim. Sempre fui alguém que acreditou que publicar conteúdo seria o suficiente para as pessoas me seguirem. Mas já não é.

A partir do momento que comecei a contar a minha história, foi impressionante como a conexão com quem me segue aumentou. Muita gente se identificou com o fato de eu ter começado a trabalhar cedo, ter praticado esporte durante muitos anos ou ter começado a viver sozinho com 18 anos.

Lembre-se: muitas pessoas podem ser inspiradas pela sua história. Muitas delas podem passar a acreditar que é possível fazer algo apenas porque conheceram a sua história.

Mas não se limite apenas aos seus relatos. Certamente existem histórias dos seus clientes que podem ser transformadoras. Quantas vidas você já mudou com o seu produto? Quantas pessoas foram transformadas após passarem pelos seus serviços? Conte essas histórias no seu conteúdo.

Eu, por exemplo, quando comecei a mentoria, entrevistei vários alunos. Dei como se fosse uma consultoria online, na qual eles podiam participar numa transmissão ao vivo comigo. E lá todos eles puderam contar as suas histórias, mostrando todas as dificuldades que passaram para se tornarem gestores de tráfego. Isso inspirou muitas pessoas da minha audiência, que viram que, afinal, também conseguiriam contornar essas dificuldades.

Pense: O que na sua história merece ser contado? Quais histórias de clientes que foram transformados pelo seu produto/serviço o mundo merece conhecer?

Não deixe a timidez vencer. O mundo precisa das suas histórias!

3. Faça listas

As pessoas adoram listas. E isso está mais do que comprovado. Seja em blogs, seja em redes sociais, conteúdos que tenham listas são sempre os mais salvos ou compartilhados.

Aqui vão algumas ideias:

- Os dez melhores aplicativos para…
- Dez conselhos para quem está começando um negócio.
- Dez formas de conseguir…
- Sete estratégias para…

Você pegou a ideia, né? A minha única recomendação é que, caso seja possível, utilize listas de pelo menos sete itens. Um número muito pequeno faz com que as pessoas tenham menos vontade de salvar. Além disso, parece algo padrão também: quanto maior o número da sua lista, mais salvamentos e compartilhamentos o seu post terá.

Veja um exemplo simples de um post feito rapidamente usando o editor de imagem dos stories:

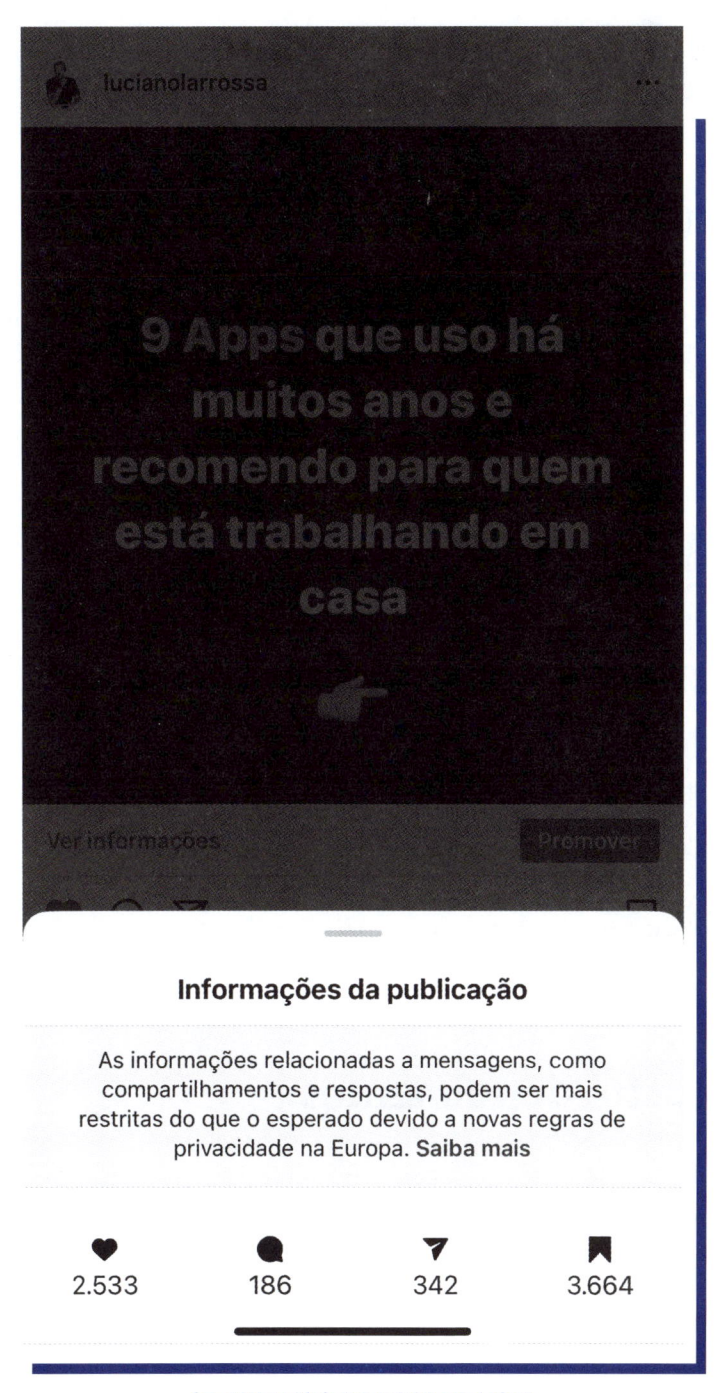

37. EXEMPLO DE POST DE LISTA

4. Mostre os seus bastidores

Por que o Big Brother ainda faz tanto sucesso, apesar de ter várias e várias edições? Porque ele mostra os bastidores. É o instinto do ser humano querer saber como é a vida dos outros. E isso não é exceção nas redes sociais.

Qual o motivo de tantos influenciadores terem tanto sucesso? É porque eles mostram seu dia a dia nas redes sociais. As pessoas adoram bastidores e certamente, na sua rotina, você tem bastidores para mostrar.

Esse tipo de conteúdo costuma ser mais utilizado nos stories do Instagram ou no Status do WhatsApp. Lá é o local mais propício para mostrar bastidores.

Seguem algumas ideias de bastidores que você pode mostrar:

- Mostre como é produzir o seu produto, desde o início até a entrega ao cliente.
- Mostre você enviando produtos para os seus clientes.
- Mostre você prestando seus serviços aos seus clientes.
- Mostre você dando aulas e os seus alunos felizes.

No fundo, você apenas precisa mostrar o seu dia a dia. Em vez de guardá-lo, mostre a sua rotina para quem o segue. Eles vão adorar.

5. Mostre depoimentos

Não fique envergonhado(a) de mostrar depoimentos dos seus clientes. Na verdade, depoimentos ajudam os clientes indecisos a tomarem uma decisão. Depoimentos também são conteúdo!

Teve um cliente que mandou uma mensagem porque ficou feliz pelo seu serviço? Mostre isso em todas as suas mídias!

Um cliente que compra sempre de você voltou na sua loja e comprou mais um produto? Conte a história dele!

Depoimentos mostram para os indecisos que, sim, é possível ser transformado pelo seu produto. Na verdade, eles são o seu melhor argumento de vendas. As pessoas podem desconfiar daquilo que você diz, mas dificilmente vão desconfiar de um cliente que está falando bem do seu produto. Um depoimento é o famoso vender sem vender.

6. Lives ou vídeos com outras pessoas

Fazer lives ou vídeos com outras pessoas são formas extremamente interessantes de criar conteúdo, mas também de fazer crescer a sua audiência! A partir do momento que você faz um conteúdo com outra pessoa, além de dar conteúdo para a sua audiência, você também é visto pelos seguidores da outra pessoa.

O canal ideal para fazer isso é o Instagram. Lá é possível, com um único clique, ver o perfil das pessoas que estão ao vivo. Desta forma, quem assiste poderá ver tanto o seu perfil como do convidado. No meu caso é normal fazer uma live com alguém e ganhar de 100 a 500 seguidores, por exemplo.

7. Memes e posts engraçados

Dependendo do seu estilo de comunicação, usar o humor em determinados momentos pode ser interessante. O uso do humor quebra o padrão e faz com que as pessoas parem para prestar atenção ao que você está dizendo.

Existem os famosos memes, que são situações, imagens ou vídeos que se tornaram virais na internet. E você pode sempre adaptar isso para o seu negócio.

Existe uma frase que diz o seguinte: se o conteúdo é rei, o momento é a rainha. O que esta frase quer dizer é o seguinte: se você aliar um bom conteúdo ao momento certo para publicar esse mesmo conteúdo, ele tem grandes chances de se tornar viral.

O local onde mais se vê isso acontecer é no YouTube. Repare que, quando um tema está sendo muito falado nas redes sociais, logo vem algum canal do YouTube criar um conteúdo sobre isso.

O motivo para fazerem isso é que eles sabem que a atenção das pessoas está nesse tema e, por esse motivo, aproveitam para criar conteúdo em volta dessa temática.

Recomendo você ficar atento(a) aos memes que estão em alta nas redes sociais e pensar em como pode usá-los a seu favor.

Veja este exemplo que aconteceu comigo. Mais de 5 mil curtidas num post simples:

lucianolarrossa

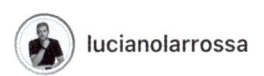

NINGUÉM QUER SABER DAS SUAS FOTOS DE FACEBOOK, INSTAGRAM, LINKEDIN E TINDER :P

Ver informações   Promover

Curtido por **cristiane.vieira.923** e **outras 5,6 mil pessoas**

lucianolarrossa Meu momento de protesto por conta desse meme chato :P #dollypartonmemechallenge

Ver todos os 566 comentários

cristiane.vieira.923 @patricia_farhat uma longe fica preocupada 😂😂

daiegon Este cartaz é fake e eu posso provar 😶

38. MEMES

8. Estatísticas

Tem um público mais analítico? Talvez publicar estatísticas sobre a sua área de negócio possa ser interessante. Quem faz muito isso é Rafael Kiso, o fundador da Mlabs, a ferramenta que recomendei anteriormente. Ele explora bastante a questão das estatísticas. O público dele consiste em gestores de redes sociais e ele está constantemente fazendo posts sobre dados do mercado.

Será que, na sua área, explorar as estatísticas do mercado pode ser interessante? Reflita sobre isso.

9. Contrate influenciadores e publique o conteúdo deles

Uma das estratégias mais usadas nos últimos anos pelas marcas tem sido a contratação de influenciadores. Mas você não precisa contratar influenciadores e esperar que eles publiquem apenas no perfil deles sobre a sua marca. Você pode usar esse mesmo conteúdo e publicar nas suas redes sociais. Por norma, isso gera mais engajamento do que o normal, pois, como trata-se de uma figura pública, ela tende a chamar a atenção dos seus seguidores e fãs.

Conselho: quando for contratar um influenciador, deixe claro no contrato que o conteúdo produzido por ele pode ser publicado nas suas redes.

10. Perguntas

Os posts não precisam ser extremamente completos para terem uma quantidade de interação muito grande. Por vezes, uma simples pergunta no seu post é o suficiente para conseguir bastante interação. Veja o exemplo a seguir, que gerou mais de 100 comentários.

39. FAÇA PERGUNTAS

Apenas perguntei se as pessoas preferiam a capa A ou B. Simples: duas imagens, uma pergunta.

11. Fale sobre novidades do seu mercado

As pessoas adoram novidades. Se existe algo novo no seu mercado, fale sobre isso. Você pode explorar esses momentos para criar conteúdo em formato de memes (já falamos sobre isso) ou apenas dando a sua opinião sobre aquela situação. O que precisa aproveitar é o timing. E, quando você faz isso, corre o risco de tornar algo viral. Foi isso que aconteceu comigo no final de 2019. Apesar de não ter sido algo diretamente relacionado com o meu trabalho, foi interessante conseguir com que um dos posts que fiz no meu perfil pessoal do Facebook alcançasse mais de 1 milhão de pessoas no LinkedIn.

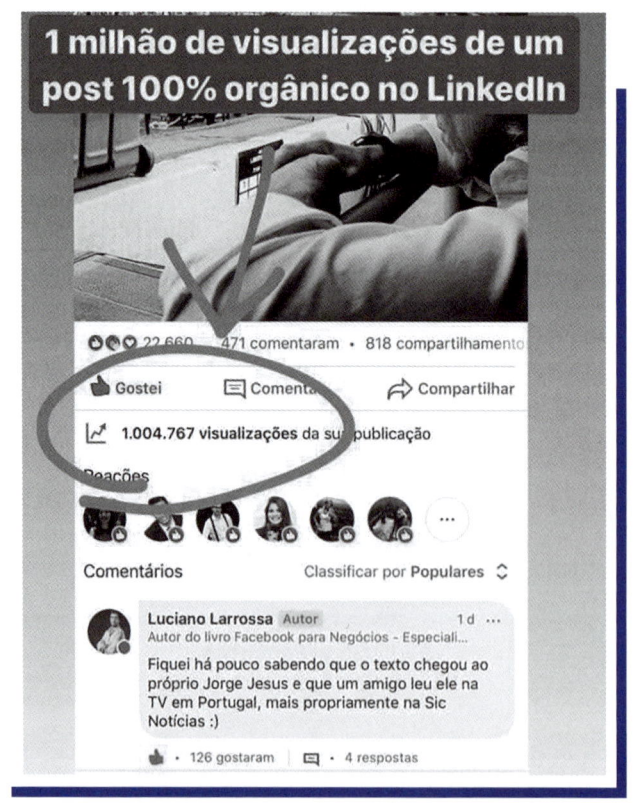

40. EXEMPLO DE TEXTO VIRAL NO LINKEDIN

O texto viralizou de tal forma que foi lido pelo próprio Jorge Jesus.

Não estou dizendo que, se aproveitar o momento, todas as publicações vão viralizar, mas as suas chances de conseguir mais comentários e compartilhamentos aumentam bastante.

12. Crie enquetes no Instagram

Os stories do Instagram são um dos melhores locais — se não o melhor — para interagir com a sua audiência. Uma das melhores formas de conhecer cada vez melhor quem segue você é fazendo enquetes. Faço isso quase que diariamente. E elas geram ótimos resultados, pois levam o usuário a uma ação — no caso, ao ato de votar. E, desta forma, o algoritmo conta como uma interação, o que faz aumentar o alcance dos seus stories.

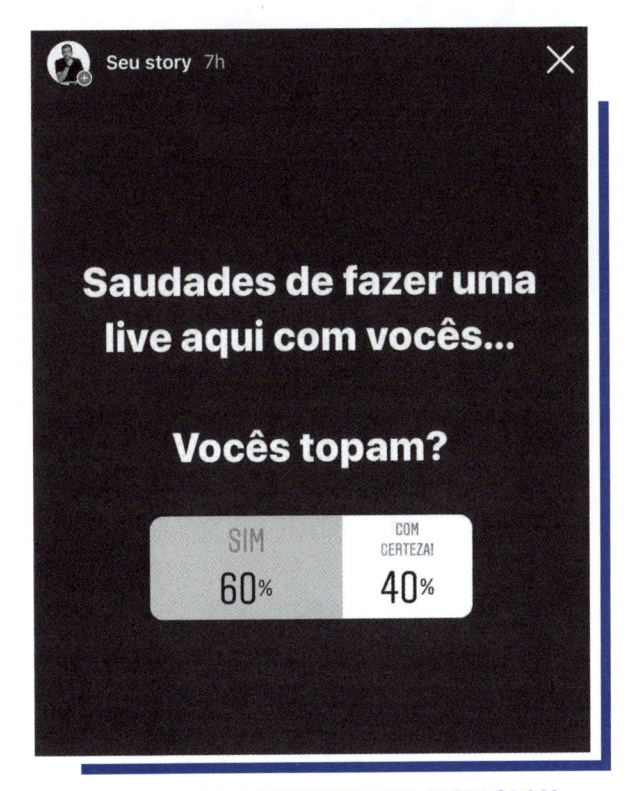

41. EXEMPLO DE ENQUETE NO INSTAGRAM

Um conselho fundamental: quanto mais simples forem as suas enquetes, mais respostas elas terão. Por outro lado, quanto mais complexa, menos pessoas vão entender a pergunta e, por isso, menos respostas terá. Simplifique!

13. Abra a caixinha de perguntas

Certamente, você já viu por aí que abrir a caixinha de perguntas do Instagram é um hábito comum entre várias pessoas que trabalham o seu próprio marketing do Instagram. Estou falando do que está nesta imagem:

42. CAIXA DE PERGUNTAS

O motivo de abrir a caixa de perguntas é bem simples: você abre para dúvidas da sua audiência e isso é uma excelente fonte de conteúdo. Na verdade, você nem precisa pensar em qual conteúdo criar. A sua própria audiência deixa as dúvidas e você responde. Adoro esse formato pois ele permite entender claramente quais as dores e problemas da minha audiência. E isso me dá não só ideias para conteúdo, mas também para futuros produtos. É como se eu fizesse uma pesquisa de mercado diariamente nos stories.

E sorteios, vale a pena?

Respondendo diretamente: não, não vale. Sei que este ponto pode ser extremamente polêmico e que talvez eu perca alguns leitores por falar isso, mas o meu compromisso é com o que funciona no seu negócio.

Eu mesmo já fiz sorteios e inclusive já tive uma ferramenta de sorteios. Nunca mais fiz e hoje não tenho mais a ferramenta. Então sou a pessoa certa para lhe falar sobre sorteios.

Apesar de ser um dos caminhos mais rápidos de conseguir seguidores nas suas redes sociais, é também um dos piores caminhos. Sorteios atraem seguidores que só querem sugar o seu negócio. Só querem coisas de graça e trocam você pela próxima empresa que oferecer algo gratuito, e no final ainda são os clientes que mais tendem a reclamar!

De que adianta uma conta na rede social repleta de pessoas que não querem pagar pelo que você vende? Nada! A única coisa que fica cheia ali é o seu ego ao ver aqueles milhares de seguidores, mas esse ego logo desaparece quando você faz uma publicação tentando vender algo e ninguém quer saber de você ou do seu produto...

Para seu bem: não faça sorteios.

Como ter mais ideias de conteúdo?

Esta é uma dúvida bem comum quando abro caixa de perguntas no Instagram. Durante os últimos dez anos tenho produzido conteúdo na internet e adquiri alguns hábitos que posso compartilhar com você para que tenha mais ideias de conteúdo. Vamos a eles:

O mágico bloco de notas

Tenha um bloco de notas no qual anota todas as suas ideias. Se eu pudesse dar apenas um único conselho, seria este. Há muitos anos tenho o meu querido bloco de notas, no qual anoto todas as minhas ideias. Recomendo que use uma ferramenta online, pois um bloco e notas em papel é mais facilmente esquecido. Hoje em dia, com tudo guardado na nuvem, ter um bloco de notas virtual é uma grande vantagem. Eu uso o meu querido Evernote. Já tentei várias outras ferramentas, mas no final volto para ele. Recomendo demais.

Olhe para a concorrência mas...

Eu tenho sempre algum cuidado quando recomendo olhar para a concorrência. Se por um lado pode ser interessante para conseguir ideias, por outro pode ser perigoso, pois, depois de ver o conteúdo, o nosso cérebro tende a copiar o que foi visualizado, o que pode roubar a originalidade do nosso conteúdo.

Recomendo sim que olhe a concorrência mas fique sempre bem atento aos conteúdos que produz a partir daí. Eles estão lhe inspirando ou fazendo com que você perca sua originalidade?

Pegue ideias de outras áreas

Sair da bolha que é a sua zona de atuação pode dar várias ideias. Por vezes, minhas melhores ideias de conteúdo são provenientes de áreas que não são o marketing. Às vezes, vendo um filme, lendo um livro ou assistindo a um vídeo do YouTube tenho várias ideias para o meu conteúdo.

Momentos de lazer

Pode parecer meio sem sentido, mas é nos momentos de lazer que o nosso cérebro relaxa e consegue ter novas ideias. Já aconteceu de ter ideias no banho, enquanto corre ou antes de dormir? Pois é. Nesses momentos, o cérebro sai do foco do dia a dia e consegue relaxar. E, ao relaxar, ele consegue criar novas conexões, que são essas novas ideias.

Nesse momento, o melhor que você pode ter é o seu bloco de notas. Teve a ideia? Anote. Não confie no seu cérebro. Ele vai se esquecer dessa ideia de conteúdo no exato momento que você precisar dele. No meu Evernote tenho três blocos de notas essenciais:

- Ideias de títulos de email marketing.
- Ideias de anúncios.
- Ideias de conteúdo.

Apareceu algo na internet que gostei? Automaticamente salvo esse conteúdo para usar no futuro.

6 TRANSMISSÕES AO VIVO: COMO USAR PARA GERAR VENDAS

As transmissões ao vivo têm crescido muito no Facebook e no Instagram. Só para ter ideia do poder das lives, ficam aqui alguns dados estatísticos interessantes:

- Os usuários passam três vezes mais tempo assistindo a uma transmissão ao vivo do que um vídeo previamente gravado.
- Os usuários interagem dez vezes mais numa transmissão ao vivo do que num vídeo.
- A cada cinco vídeos gerados no Facebook, um deles é uma transmissão ao vivo.

Atualmente, fazer uma transmissão ao vivo é algo extremamente simples. Você pode fazê-lo por meio da página ou do perfil usando o computador (no caso do Facebook) ou o celular (no caso de Facebook e Instagram). Atenção que, para fazer com a sua página de Facebook usando o celular, precisa fazer o download da aplicação Gerenciador de Páginas. No Instagram basta usar o app habitual.

Como fazer lives no Facebook

Para fazer a transmissão ao vivo é muito simples. Basta ir até a sua página ou perfil e selecionar a opção Ao Vivo:

43. COMO CRIAR TRANSMISSÃO

Ao fazer isso, abrirá uma janela com a sua imagem e um local para inserir o título da transmissão e a descrição. No caso de estar usando o celular, também aparece a sua imagem, mas a parte dos comentários só começa a surgir quando as primeiras pessoas começarem a comentar. Veja a seguir como fica:

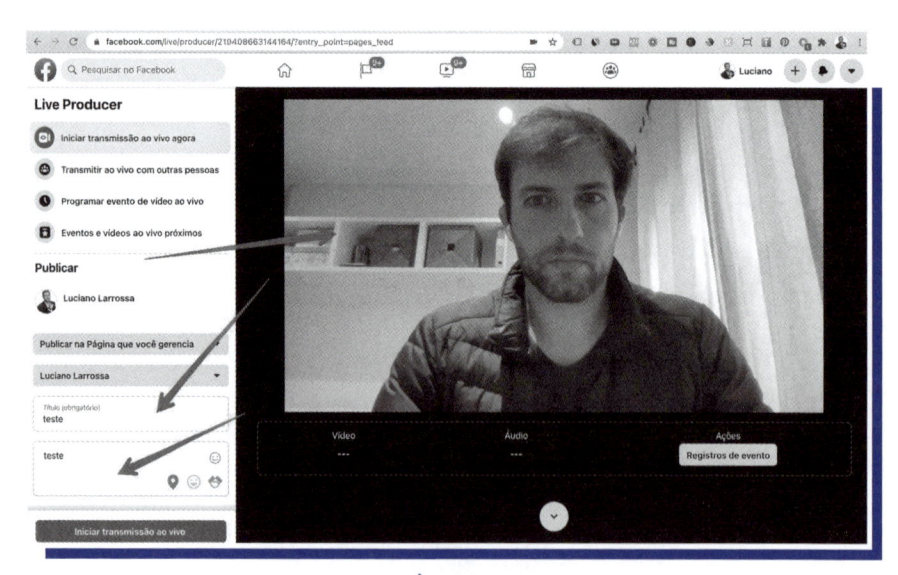

44. INÍCIO DA LIVE

Depois de apertar o botão de transmitir em direto, o Facebook vai fazer um teste da sua conexão de internet para ver se ela tem capacidade para fazer a transmissão. Após o teste, o Facebook começa a transmitir diretamente para as pessoas que seguem a página. No entanto, há aqui alguns detalhes importantes:

- Apenas alguns usuários recebem a notificação avisando que a sua página está ao vivo. Porém, a maioria não vai receber.
- No início é normal que não receba muitas pessoas nas suas lives. Mas veja as suas transmissões como um programa de televisão. Se for consistente, fizer nos mesmos dias e no mesmo horário, mais rapidamente vai angariar um público. Consistência é a chave para começar a conquistar uma audiência.
- Não espere que muitas pessoas cheguem para começar a gerar conteúdo. A partir do momento que estiver ao vivo, comece a falar sobre o tema da sua transmissão. Caso contrário, os poucos que já estiverem ao vivo abandonarão a sua live.
- Tenha sempre muito cuidado com o som. O áudio é fundamental para que as pessoas compreendam a sua mensagem. Usar o microfone que está nos fones do celular muitas vezes é o suficiente.
- Durante a transmissão, tente fazer com que os usuários deixem comentários. Mais perguntas significa mais interação e, com mais interação, mais pessoas chegarão à sua transmissão.
- Enquanto estiver ao vivo, responda às perguntas que são deixadas. Lembre-se: as pessoas assistem mais transmissões ao vivo porque gostam de interagir com quem está ao vivo.
- Não tenha pressa em terminar a sua transmissão. Quanto mais tempo ficar na transmissão, mais tempo dá para que outras pessoas entrem. Demore o tempo que for necessário para partilhar o seu conteúdo.

- Se for possível, deixe um aviso alertando quando fará a sua próxima live. Isso vai permitir que algumas pessoas consigam estar preparadas para assistirem a sua transmissão.

Durante os últimos anos tenho feito aulas ao vivo todas as terças-feiras, transmitindo direto no meu YouTube e Facebook. As AdsClass, nome que dei às minhas aulas de terça-feira, além de ajudarem muitas pessoas, têm criado uma ligação mais profunda com a minha audiência. Por norma, as minhas aulas ao vivo têm entre uma e duas horas. E quem está disposto a ficar tanto tempo comigo certamente terá uma ligação muito mais forte do que alguém que apenas curtiu um post no Instagram.

Só a título de exemplo, um vídeo meu de um minuto no Instagram tem mais do dobro de visualizações do que as minhas AdsClass. Porém, a conexão que as aulas de terça-feira criam é completamente diferente. Muitas vezes não se trata de se relacionar com mais pessoas, mas sim de se relacionar mais profundamente com cada um que o segue.

Como fazer lives no Instagram

As lives no Instagram são ligeiramente diferentes das lives no Facebook. Confira aqui algumas diferenças:

- As lives do Instagram têm menos recursos nativos que as lives do Facebook. Por exemplo: apesar de terem iniciado em 2016, só em 2020 se teve a possibilidade de inserir o título na live do Instagram.
- As lives do Facebook integram facilmente com outras plataformas externas. Falaremos sobre isso um pouco mais à frente no livro, mas essa funcionalidade possibilita que as lives no Facebook tenham recursos mais profissionais.

- As lives no Instagram permitem que você convide outras pessoas e, com isso, a mesma transmissão é feita para os dois perfis em simultâneo.
- Em ambas as plataformas, quando as lives terminam, elas ficam salvas e geram um novo vídeo. Porém, no Instagram costuma dar alguns problemas quando a live é finalizada e nem sempre é garantido que se consiga ter acesso à gravação.

Iniciar uma live no Instagram é extremamente simples. Basta ir até o seu perfil e clicar como se fosse fazer um story:

45. COMEÇAR UMA LIVE

Depois, selecione a opção Ao Vivo:

46. SELECIONAR A OPÇÃO DA LIVE

Se quiser, pode definir o título também. Basta apertar no botão central e pronto: você está ao vivo!

Nas lives do Instagram você pode, ainda, convidar outras pessoas para entrarem ao vivo com você.

Usando softwares externos

Se você quer fazer lives no Facebook de forma mais profissional, existem, ainda, softwares externos que lhe permitem ter algumas funcionalidades extras. Vou listar alguns dos melhores softwares para fazer isso:

1. Streamyard

É o que eu uso nas minhas AdsClass. Com ele, consigo personalizar os meus cenários aparecendo eu e a tela do meu computador em simultâneo, por exemplo. Além disso, ele permite transmitir para três locais ao mesmo tempo: canal de YouTube, página de Facebook e Grupo de Alunos.

2. OBS

O OBS é a ferramenta mais poderosa para lives em simultâneo no Facebook e YouTube. Ela permite fazer uma enorme quantidade de coisas e é usada, inclusive, para transmissões profissionais. Porém, ela tem dois problemas. O primeiro é que a curva de aprendizagem dela é um pouco maior do que um Streamyard, por exemplo. Você precisará passar algumas horas estudando para conseguir fazer sua primeira transmissão.

Outro problema está relacionado com o que ele exige da sua máquina. Você precisará ter um computador com alguma capacidade para conseguir usar o OBS. Só recomendo usar este software caso necessite fazer uma transmissão extremamente profissional. Caso contrário, o Streamyard será suficiente.

3. Be.live

Mais ao estilo do Streamyard, o Be.live permite que faça transmissões simples e em simultâneo para Facebook e Instagram. Com ele você consegue colocar seu logo, destacar os comentários, colocar molduras e fazer lives com outras pessoas.

4. Ciclano

Uma ferramenta brasileira bastante poderosa. Com o Ciclano você poderá fazer transmissões ao vivo em simultâneo para Facebook, Instagram, YouTube, Twitch, entre outros. E tudo isso sem precisar instalar um único aplicativo. Tudo é feito a partir do navegador.

Como ter mais pessoas nas suas lives?

Por norma, quem quer começar passa por duas fases. A primeira é o receio de fazer lives. *Será que vai dar certo?* ou *Será que vou passar vergonha ao vivo?* são algumas das questões que alguém que está começando faz a si mesmo(a).

Porém, com o passar do tempo, esses medos vão desaparecendo e o empreendedor entra na segunda fase. A fase em que ele começa a questionar a si mesmo: Como faço para ter mais pessoas nas minhas lives? Nas linhas a seguir, vou compartilhar alguns conselhos de quem faz lives há algum tempo:

- Crie o seu próprio programa. Se tiver as suas lives sempre no mesmo dia e no mesmo horário, as pessoas começarão a se acostumar com isso e começarão a reservar aquele dia e aquela hora para estarem com você. É igual a um programa de televisão!
- Avise com antecedência que a sua live vai acontecer. As pessoas recebem milhares de novas informações todos os dias. Você precisa avisar com antecedência que a sua aula vai acontecer para que elas consigam se programar.
- Avise no próprio dia também! Não é por você ter avisado com vários dias de antecedência que as pessoas se lembrarão que a sua live é hoje. Elas não sabem nem o que almoçaram ontem, acha que se lembrarão de que você as avisou da live?

- Jogue com a escassez! Se você faz suas lives e deixa elas gravadas, as pessoas tendem a não ver a aula ao vivo. Afinal de contas, eles podem ver depois. No meu caso, deixo as minhas aulas do AdsClass disponíveis durante apenas 24 horas. Depois disso tiro do ar e deixo apenas para os alunos da mentoria. Escassez tende a gerar mais pessoas ao vivo! Faça com que você seja uma prioridade no calendário delas. Existem várias formas de fazer isso. Você pode não dar a possibilidade de repetição, pode deixar 24 horas como eu faço ou pode deixar a aula disponível mais alguns dias. Você que decide!

- Ofereça coisas só para quem está ao vivo com você. Eu, por exemplo, às vezes ofereço alguns materiais exclusivos como PDFs ou mapas mentais só para quem está ao vivo comigo. Isso vai fazer com que mais pessoas participem, pois elas adoram coisas gratuitas!

7 COMO FAZER VENDAS PELO WHATSAPP?

Antes de falarmos sobre como vender pelo WhatsApp, deixe-me falar um pouco sobre a importância estratégica que ele tem no seu negócio. Vimos, há algumas páginas, que todo o marketing funciona num formato de funil. Primeiro você chega até as pessoas e engaja com elas usando as redes sociais. Depois, vende para elas, trazendo-as para canais mais individuais, como email, telefone ou WhatsApp. Preciso que você entenda uma coisa: as vendas não acontecem nos posts que você faz nas redes sociais. Na maioria das vezes, as vendas vão acontecer em canais mais próximos. Por isso, entenda que o seu WhatsApp pode ser o seu principal canal de vendas. Se o marketing fosse um jogo de futebol, é como se todo o time (as redes sociais) trabalhasse para que o centroavante (o WhatsApp) finalize a jogada.

Peça autorização aos seus clientes

O WhatsApp é uma mídia mais pessoal. Ao contrário do Facebook ou Instagram, em que você pode publicar conteúdo de vendas e as pessoas se importam pouco com isso, no WhatsApp as pessoas se sentem incomodadas se você invadir o espaço privado delas.

Por isso, sempre que pensar em fazer marketing por WhatsApp, encontre um jeito de conseguir autorização dos seus potenciais clientes. Se for um negócio local, pergunte se pode enviar ofertas de produtos por lá. Se for um negócio digital, faça a mesma coisa. Contatos frios no WhatsApp tendem a criar uma imagem negativa da sua empresa, além da eficácia disso ser extremamente baixa. Pense em você: quando foi a última vez que comprou de uma marca que entrou em contato pelo WhatsApp sem você pedir?

Não use grupos, use listas de transmissões (mas há uma exceção)

O WhatsApp foi uma ferramenta criada para comunicação entre pessoas e não para empresas. E, por consequência, os grupos de WhatsApp apresentam algumas falhas quando são usados para negócios.

A primeira delas é que todos conseguem ver os contatos dos grupos. Desta forma, se você criar um grupo só para potenciais clientes, é muito fácil o seu concorrente chegar lá e roubar todos os números dos seus potenciais clientes.

Outro ponto negativo é que um cliente insatisfeito pode ser o suficiente para gerar uma revolta dentro do grupo do seu próprio negócio. Imagine, aquele cliente que está muito brabo com o produto que acabou de comprar conseguir comunicar isso para mais de 200 potenciais clientes seus que estão dentro do grupo?

Por último, mas não menos importante, você tem pouco ou nenhum controle do conteúdo do grupo caso deixe ele aberto. Então, o que fazer? A melhor forma é usar listas de transmissão.

Essas listas são uma excelente forma de conseguir enviar mensagens em massa sem precisar usar grupos. Listas de transmissão funcionam da seguinte forma:

1. Você cria a lista de transmissão.
2. Você adiciona os contatos a essa lista.
3. Você envia a mensagem para eles.

Desta forma, cada um recebe uma mensagem individualizada e você consegue fazer um disparo em massa.

As listas de transmissão têm algumas desvantagens também e é importante que fique atento a elas:

- Só quem adicionou o seu contato ao celular receberá as mensagens da lista de transmissão. Por esse motivo, é determinante que peça ao seu cliente que adicione o número do seu negócio.
- As listas de transmissão têm um limite de 256 contatos. Ficando com uma lista cheia, você pode criar uma segunda lista e por aí vai. Não existe um limite de quantas listas de transmissão você pode criar.
- Se tiver um grande número de listas de transmissão e enviar tudo ao mesmo tempo, pode ser que muitas mensagens não sejam entregues. O WhatsApp não é claro sobre quantas mensagens podem ser enviadas uma única vez, mas, por experiência própria, a partir do momento que você tem dez a 20 listas de transmissão com o mesmo número, ele começa a dar alguns problemas.

O único momento que recomendo usar grupos

No meu caso, existe um único momento que uso grupos de WhatsApp e, nessas situações, eles funcionam muito bem. No meu caso, uso grupos apenas quando vou lançar um curso novo ou quando vou fazer alguma oferta especial, do estilo *compre 1 produto e leve outro*.

Porém, esses grupos são usados de uma forma um pouco diferente. Nesse grupo, apenas eu posso publicar conteúdo e quem entra nesse grupo já sabe que algo será oferecido lá. Além disso, só convido para esse grupo quem já me acompanha, o que diminui bastante a chance de receber pessoas que não queiram estar lá.

Desta forma, tenho total controle sobre a comunicação. Uso o grupo nessas situações pois, ao contrário do email, no WhatsApp tenho a certeza de que todos os interessados receberão as minhas mensagens.

Aqui vai o passo a passo para conseguir vender produtos por meio de grupos:

1. Crie o seu grupo e deixe-o com a possibilidade de apenas os administradores publicarem conteúdo.
2. Defina quando e quais mensagens serão enviadas nesse grupo.
3. Compartilhe esse grupo com a sua audiência. Avise antes o que será oferecido nele.
4. Quando o grupo encher, envie uma mensagem explicando para os inscritos como vai funcionar o grupo.
5. Faça a sua ação de vendas. Por norma, as minhas demoram entre 2 e 3 dias e envio umas 2 a 3 mensagens por dia.
6. Termine a sua ação, se despeça das pessoas e encerre os grupos.

Simples assim, mas extremamente eficaz. E você não precisa mais do que um único celular e um pouco de planejamento!

O Status do WhatsApp pode trazer muitas vendas

Conforme você vai tendo mais potenciais clientes no seu WhatsApp, existe uma arma que você pode explorar: o Status do WhatsApp. Ele funciona como os stories do Instagram, só que no WhatsApp.

Lá você pode postar fotos de produtos ou de serviços. No meu caso, cada vez que minha empresa faz algumas publicações no Status do WhatsApp, sempre gera venda de livros ou cursos. E, como pouca gente usa o Status, é quase uma terra de ninguém! Conforme for tendo um número interessante de clientes vinculados ao seu WhatsApp, comece a usar o Status!

Organize os seus números

Ao usar o WhatsApp Business, você pode adicionar etiquetas a cada cliente. As etiquetas servem, acima de tudo, para manter seus contatos organizados. Aqui seguem alguns exemplos de etiquetas que você pode usar:

- Novo cliente.
- Novo pedido.
- Pago.
- Pedido finalizado.
- Problemas com o produto.

E por aí vai. Assim, basta clicar na etiqueta e ver todos os contatos com a mesma etiqueta.

Use um CRM

Quando começar a ter um volume muito grande de mensagens, o seu WhatsApp passará a ser uma confusão total. E aí vai chegar uma hora que fica complicado se organizar. Pela minha experiência, quando esse momento começar, o melhor que pode fazer é começar a usar um CRM (sigla em inglês para Customer Relationship Management).

Um CRM é uma ferramenta que armazena informações de clientes atuais e potenciais e suas atividades. Nele, você vai ter todas as informações e colocar no software quando vai entrar em contato com determinado cliente e fazer anotações sobre a conversa que tiveram. Desta forma, você não deixa nenhum cliente para trás e também aumenta suas chances de venda.

Aqui na empresa usamos o Pipedrive, uma ferramenta fantástica que serve para qualificarmos as nossas leads e, com isso, termos tudo mapeado e organizado.

CONCLUSÃO

Até aqui, neste livro, vimos a parte do conteúdo para as redes sociais. Gerar conteúdo é a melhor forma de criar ligação com a sua audiência. Porém, também vimos que os algoritmos fazem com que o seu conteúdo seja entregue a apenas uma pequena parte de quem o segue. Para fazer um bom trabalho de marketing, você precisa entender que existe um funil e que o seu conteúdo serve para atrair potenciais clientes para esse funil. Outro ponto importante que vimos foi relativo a estatísticas. Que você não precisa ficar preocupado em olhar dezenas de métricas. O que precisa é olhar para as métricas corretas e que elas lhe darão uma clareza enorme.

Sou um grande defensor da criação de conteúdo. O que estou fazendo aqui é o que você deve fazer nas redes sociais: criar conteúdo de qualidade e fazer com que as pessoas gostem dele, para que depois possam comprar mais produtos da minha empresa.

No entanto, apenas criar conteúdo não é suficiente. Já não é suficiente há alguns anos e vai ser cada vez menos. Com cada vez mais empresas publicando conteúdo, o espaço para aparecer é cada vez menor. Para se manter na mente das pessoas, você vai precisar aprender outra coisa: fazer anúncios.

Isso não significa que criar conteúdo não seja importante. A junção entre um bom conteúdo e bons anúncios é explosiva. Se você estiver fazendo os dois da maneira correta, os seus concorrentes não terão a mínima chance. Prepare-se, pois agora entraremos no segundo capítulo. O mais importante e desafiador deste livro.

👍 Curtir   💬 Comentar   ↗ Compartilhar

Parte 2

able

8 OS PRIMEIROS PASSOS NOS ANÚNCIOS

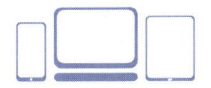

Há alguns anos, quando falava em anúncios nas redes sociais durante os meus treinamentos, a reação das pessoas era quase sempre esta:

Mas, afinal, as redes sociais não são gratuitas?

Felizmente, hoje em dia as pessoas têm cada vez mais noção de que as redes sociais envolvem investimento. E isso facilita bastante o processo de ensinar anúncios. Quem está ciente de que as redes sociais implicam um investimento está sempre mais perto de ser bem-sucedido. Quem ainda é reticente a investir terá sempre um trabalho mais dificultado.

Não sei como você se sente em relação a investimentos financeiros nas redes sociais. Mas, independentemente da sua situação atual, quero falar com você sobre uma coisa que aprendi no mundo dos negócios. No marketing, você só pode investir em duas coisas: no tempo ou no dinheiro. Se está investindo o seu tempo, você está gastando menos dinheiro. Se está investindo mais dinheiro em marketing, provavelmente você está poupando tempo no seu negócio.

É importante que você entenda que anúncios nas redes sociais são um investimento e não um gasto. Gasto é quando você gasta dinheiro e não o recupera. Investimento é quando investe uma determinada quantia e ela retorna para você com lucro. O meu objetivo ao ensinar os anúncios não é fazer com que você gaste dinheiro nas redes sociais. Eu não ganho nada com isso. O meu intuito é ensiná-lo a fazer corretamente seus anúncios, para que você transforme R$ 100,00 em R$ 200,00, R$ 1 mil em R$ 2 mil e por aí vai. Quero ajudar você a enriquecer, assim como os anúncios me ajudaram. Mas para isso eu preciso da sua ajuda. Posso contar com você?

O primeiro comprometimento que preciso que você tenha comigo é o de colocar os ensinamentos deste livro em prática. Já tive oportunidade de falar com vários leitores desta obra e alguns deles cometem um erro comum: o de ler e não colocar em prática. É muito bom você querer estudar e aprender mais, mas, se isso não se transforma num conhecimento prático, de pouco vale. Tem uma frase de Lao Tsé que adoro e ela diz o seguinte: *saber e não fazer é ainda não saber*. Aprendeu algo neste livro? Coloque em prática no minuto seguinte.

O segundo comprometimento que preciso que tenha comigo é o de reservar um valor mensal para investir. Por menor que seja, guarde um valor mensal para aplicar nos seus anúncios. Com menos de um dólar por dia você já consegue anunciar no Facebook e Instagram. É a única coisa que peço a você: pelo menos um dólar por dia todos os meses para colocar em prática o que aprendeu neste livro. Também posso contar com você para isso? Acredito que, em uns três meses, já estará colhendo bons frutos dos seus investimentos e muito provavelmente multiplicando o seu capital.

Agora, vamos falar sobre os anúncios...

Os anúncios no Facebook começaram a ter mais sucesso no início de 2013, quando o Facebook diminuiu o alcance das Fan Pages. Antigamente, fazer uma publicação sem investir um único centavo gerava milhares de compartilhamentos e comentários. Hoje, esse número decresceu bastante — apesar de ainda ser a rede social que gera mais alcance — e os donos das Fan Pages viram-se obrigados a investirem em *ads* para atingirem mais pessoas.

Antes de criticar o Facebook ou o Instagram por diminuir o alcance, vamos refletir sobre como funcionam essas redes sociais. A cada minuto são compartilhadas centenas de publicações na sua linha do tempo. Imagine se, por acaso, não existisse um algoritmo para controlar todo esse conteúdo. Você receberia tantas publicações que não teria tempo sequer de olhar para elas. Então o algoritmo é uma forma das redes sociais controlarem todo esse conteúdo e de fazerem chegar ao usuário o conteúdo que é realmente mais relevante, e ignorar o menos interessante.

Não vamos ser hipócritas: esse algoritmo beneficia igualmente as próprias redes. Dá um maior controle sobre o alcance das publicações e permite que as redes sociais cobrem por esse mesmo alcance. Porém, não podemos esquecer que estamos jogando um jogo na "casa" do Facebook e Instagram e nada é mais justo do que eles terem o controle das regras.

Agora cabe ao leitor, enquanto empresário, saber jogar o jogo e, mesmo assim, conseguir gerar resultados para o seu negócio. Por esse motivo, o meu primeiro conselho é que mude a sua mentalidade. Tenha noção das regras e siga em frente.

Nota: A partir daqui, sempre que me referir a Facebook estarei me referindo à família Facebook e Instagram, pois as funcionalidades para ambas as redes sociais no que tange aos anúncios são praticamente as mesmas. Inclusive, como verá mais à frente, a melhor forma de fazer anúncios no Instagram é mediante uma plataforma do Facebook.

FORMATOS DE ANÚNCIOS E COBRANÇA

Antes de falarmos sobre os tipos de anúncios, é importante perceber como funciona a dinâmica dos anúncios no Facebook. Dentro do Facebook existem espaços previamente definidos para os seus anúncios aparecerem. São eles o feed de notícias do computador, o feed de notícias do celular, a coluna direita do computador, o feed do Instagram, os stories das duas redes, a página inicial do Messenger, as mensagens do Messenger, os vídeos sugeridos, os vídeos In-Streams, os Instant Articles e os anúncios em aplicativos. Vejamos alguns exemplos a seguir. Repare que todos eles têm *patrocinado* no topo:

Desktop News Feed

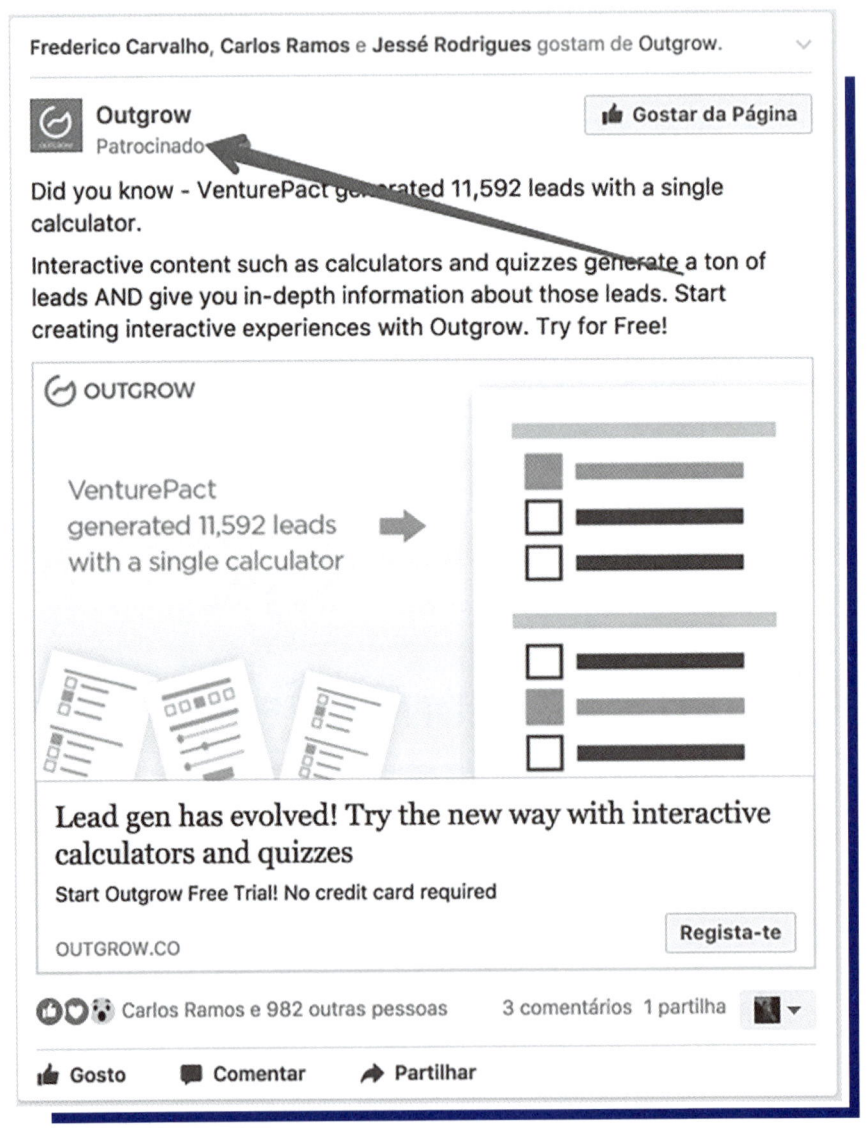

47. FEED DO FACEBOOK NO COMPUTADOR

Coluna direita

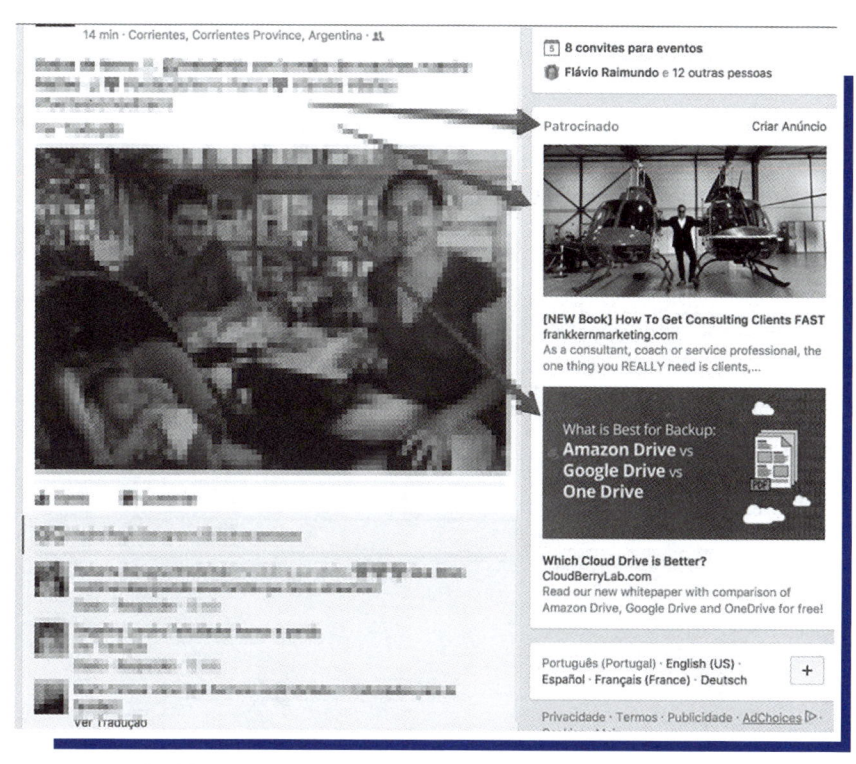

48. COLUNA DIREITA DO FACEBOOK NO COMPUTADOR

Feed no celular

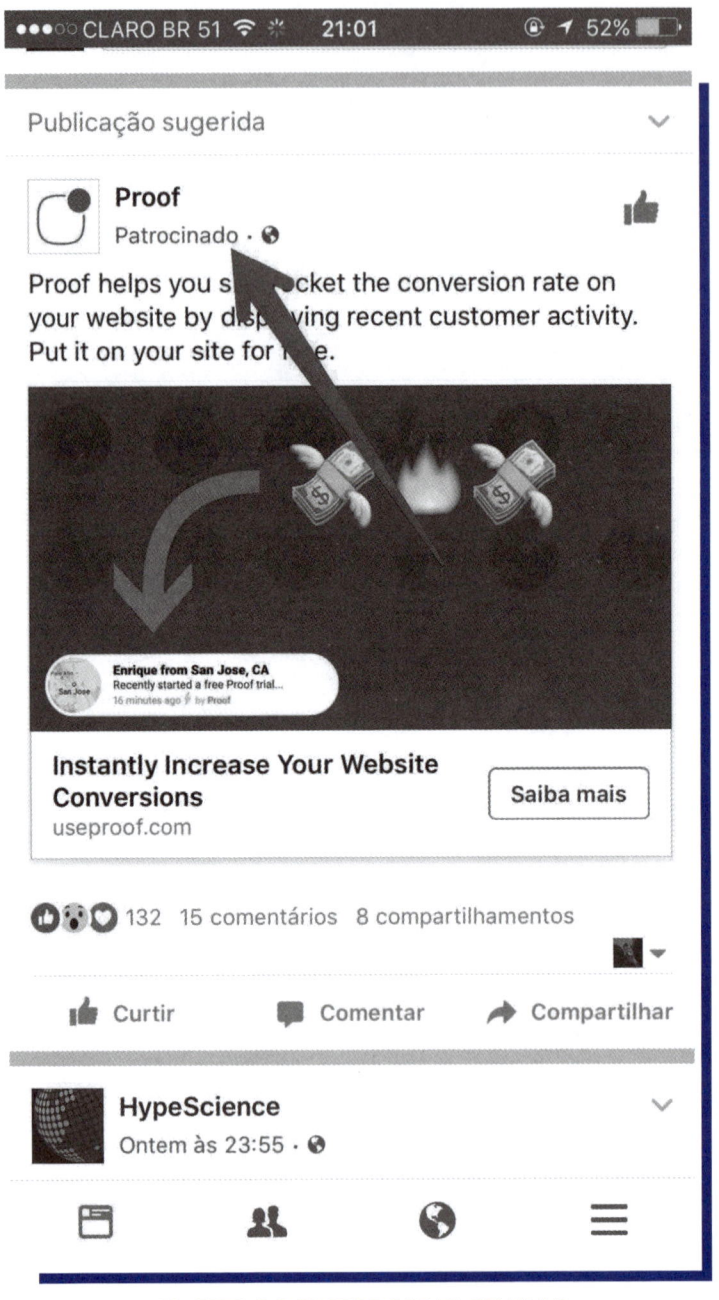

49. FEED DO FACEBOOK NO CELULAR

Instagram Feed

50. FEED DO INSTAGRAM NO APLICATIVO DO CELULAR

Instagram Stories (no Facebook e no Messenger, os formatos são semelhantes)

51. STORIES DO INSTAGRAM

Vídeos sugeridos

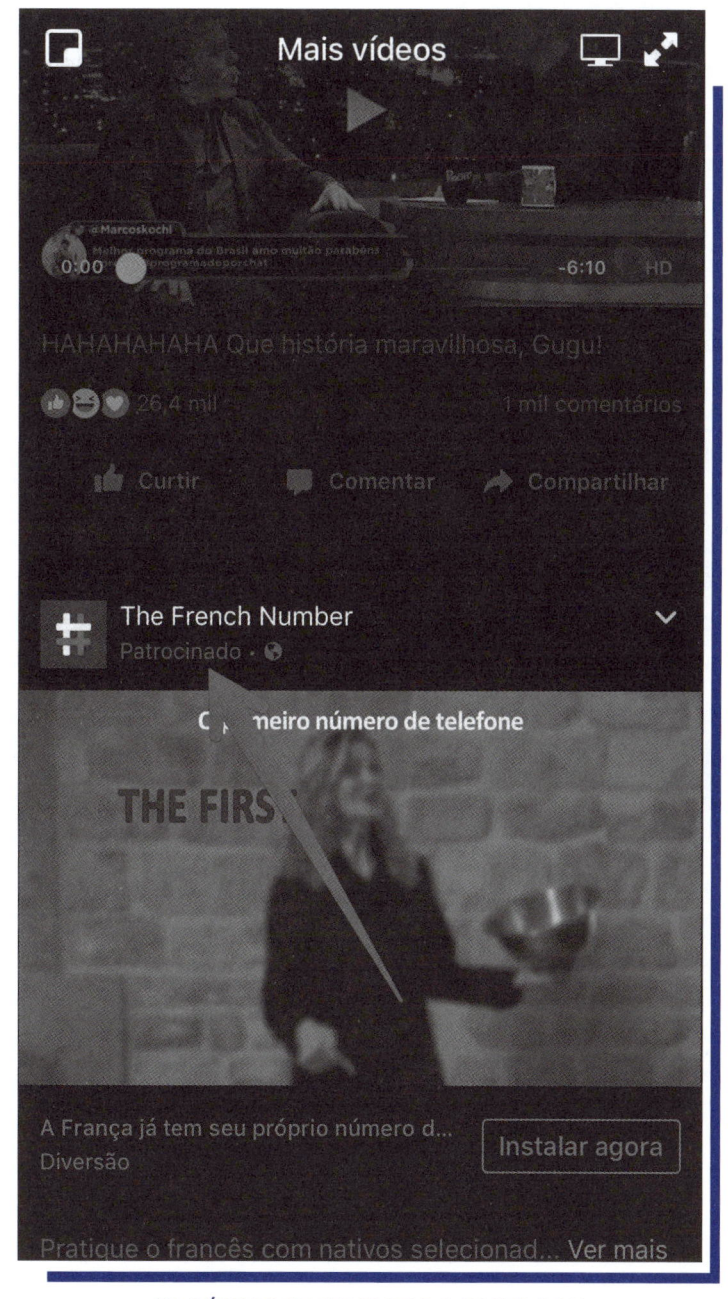

52. VÍDEOS SUGERIDOS DO FACEBOOK

Mas qual o motivo do Facebook apostar em tantos espaços para anúncios? Sei que pode pensar que a resposta é óbvia: para ganhar mais dinheiro! Sim, claro. Mas se o objetivo fosse apenas ganhar dinheiro, bastaria inserir mais anúncios no feed e o problema estaria resolvido. O cerne da questão é que as redes sociais têm um limite de anúncios que conseguem apresentar para os usuários até que esses mesmos anúncios comecem a estragar a experiência do usuário. Se, cada vez que entrasse no Instagram, recebesse só anúncios, certamente deixaria de usar a plataforma, certo? Mas, por outro lado, as redes recebem cada vez mais anunciantes. Eles acabam por ter um problema: por um lado, não podem apresentar mais anúncios; por outro, têm cada vez mais anunciantes. A forma de contornar isso é criando novos locais para aparecerem anúncios. Começou pela lateral, depois os anúncios começaram a aparecer no feed e hoje temos anúncios nos stories e no Messenger. Desta forma, ele consegue distribuir os anunciantes sem estragar — tanto — a experiência do usuário.

Outra dúvida comum é saber como Facebook e Instagram cobram pelos seus anúncios. Os preços dos anúncios são baseados num sistema de leilão, no qual os anúncios competem entre si com base na sua licitação e no desempenho que estão tendo. Isto quer dizer que, quanto melhor for a performance do seu anúncio (mais cliques, mais conversões etc.), menor será o preço pago por cada ação do usuário. Um anúncio com uma má imagem ou com um texto que não seja apelativo pode custar cinco ou dez vezes mais do que o mesmo anúncio com uma imagem e com um texto melhor. Mais adiante você entenderá um pouco melhor todos esses detalhes.

Os anúncios são cobrados por cada ação que o usuário fizer (cliques, visualizações no vídeo etc.) ou por cada mil impressões que o seu anúncio fizer. Essa mesma cobrança vai depender do objetivo do seu anúncio, que é o que vamos falar a seguir.

LEILÃO DO FACEBOOK

Ao apresentar um anúncio, o Facebook tenta equilibrar duas coisas: entregar valor aos anunciantes e dar uma boa experiência ao usuário. Para garantir isso, os anúncios funcionam num formato de leilão e o anúncio que ganhar esse leilão, aparece para o usuário.

Todos os dias acontecem milhões de leilões e são apenas três fatores que definem a vitória:

- **Licitação do anunciante:** quem pagar mais tende a aparecer mais. O valor que vai investir pode ser definido automaticamente pelo Facebook ou por você, como veremos mais à frente. Neste ponto, outro detalhe a levar em conta é a concorrência. Se mais pessoas concorrem com você na licitação, o preço pelo espaço é mais caro.

- **Qualidade e relevância do anúncio:** se o anúncio que acabou de criar será interessante para a pessoa que o recebeu, o Facebook entende que isso será bom para o usuário e exibe o anúncio a um custo mais baixo. Se o contrário acontece, o preço para atingir cada usuário aumenta.

- **Conclusões da meta:** como veremos mais à frente, quando se cria um anúncio é necessário definir um objetivo. Se esse objetivo está sendo atingido, o Facebook entende que está entregando o anúncio certo à audiência certa. Se não, ele entende o oposto.

Para um anúncio ser poderoso e obter resultados interessantes, tem que acertar nesses três pontos. Por este motivo é que, muitas vezes com o mesmo valor investido por dia, você acaba por atingir menos pessoas.

TIPOS DE ANÚNCIOS

Um dos pormenores que devemos ter em conta é que existem vários objetivos de campanha dentro do Facebook. No momento em que escrevo este livro, o Facebook conta com 14 tipos diferentes de possibilidades de campanhas:

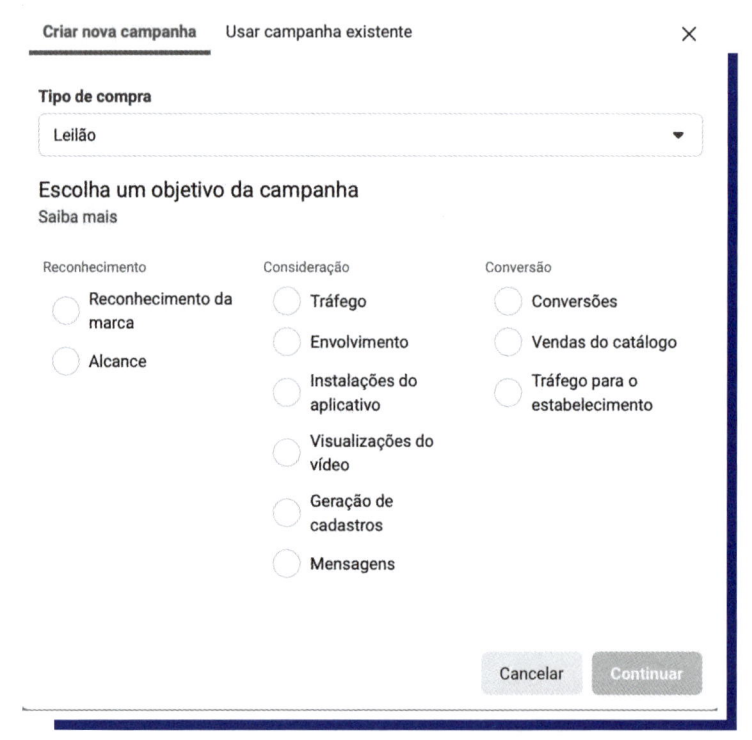

53. OBJETIVOS DOS ANÚNCIOS

Apesar de na imagem só haver 11 objetivos, alerto que o objetivo Interação depois divide-se em três subtipos, o que faz com que o total seja 14.

Vejamos em que consiste cada um deles:

- **Reconhecimento da marca:** aqui o Facebook vai entregar o seu anúncio para pessoas com maior probabilidade de se interessarem pela sua marca.
- **Alcance:** aqui o Facebook vai tentar alcançar o máximo de pessoas possível pelo menos uma vez.
- **Tráfego:** assim como o próprio nome indica, o objetivo é enviar pessoas para o seu site. O Facebook vai apresentar o anúncio para os usuários que têm maior probabilidade de clicar no link e visitar o seu site.
- **Envolvimento:** há alguns anos, o Facebook dividiu o objetivo Envolvimento em três partes: Engajamento com a publicação, Curtidas na página e Participações no evento. Quando criar um anúncio, você tem que selecionar uma delas. Na parte de Engajamento com a publicação, o intuito é aumentar o número de curtidas, comentários e compartilhamentos do seu post. Ou seja, ele entrega o anúncio a quem geralmente engaja mais com os posts. Na opção Curtidas na página, o objetivo é mostrar anúncios para levar os usuários a curtirem a sua página. E o objetivo Participações no evento é, obviamente, para aumentar o número de respostas em Eventos do Facebook.
- **Instalação do aplicativo:** para obter mais instalações do seu aplicativo.
- **Visualizações do vídeo:** o nome já fala por si. Aqui é para quando quer aumentar o número de visualizações dos seus vídeos.
- **Geração de cadastros:** o Facebook dá a possibilidade de fazer anúncios para gerar cadastros para o seu negócio sem que para isso tenha que ter um site! Nesse formato, ele abre um formulário após

o usuário clicar no link. Ideal para quem quer capturar contatos mas não tem um site.

- **Mensagens:** este objetivo é usado para quando você quer aumentar o número de pessoas entrando em contato com você. A partir dele, ao clicar no usuário, este é direcionado para o Messenger, Direct ou WhatsApp.
- **Conversões:** este objetivo é usado quando você pretende ter alguma conversão no seu site. Conversões podem ser leads, vendas, adicionar ao carrinho etc.
- **Vendas do catálogo:** utilizado pelas grandes e-commerces pois permite anúncio de grandes listas de produtos de forma dinâmica.
- **Tráfego para o estabelecimento:** aqui o objetivo é anunciar para pessoas que estejam passando perto da sua loja fisicamente. Não uso muito e, sinceramente, vi pouca gente tendo sucesso com ele.

Mas, Luciano, qual das opções devo utilizar?

Escolher o tipo de objetivo depende muito daquilo que pretende com um anúncio. Vejamos alguns exemplos práticos e quais opções deve utilizar:

- **Quero levar pessoas para o meu site e apenas aumentar as visitas:** escolha a opção Tráfego.
- **Quero levar as pessoas para o meu site e capturar leads:** anuncie com o objetivo Conversões.
- **Quero apenas aumentar o meu branding:** envolvimento é a melhor escolha. Se usar o vídeo para aumentar o branding, escolha a opção Visualizações de vídeos.
- **Quero aumentar o número de fãs:** anuncie com objetivo Interação e depois selecione Curtidas na página.

- **Tenho um negócio pequeno, não tenho site e quero angariar mais contatos:** anuncie com o objetivo Geração de cadastros.
- **Tenho um aplicativo e quero gerar mais instalações:** anuncie com o objetivo Instalação do aplicativo.

E por aí vai. Conseguiu entender a lógica? Para cada meta do seu negócio, o Facebook tem uma solução diferente. Em alguns casos pode existir até mais do que uma. É tudo uma questão de testar e de ver qual gera melhores resultados. Mais à frente no livro falaremos mais detalhadamente sobre estratégias de anúncios.

Esses formatos de objetivos servem para o Facebook entender o que pretende com o seu anúncio. Ao definir corretamente o objetivo, está ajudando o Facebook a entregar o seu anúncio para o público certo. Imaginemos que pretende aumentar as visualizações do seu vídeo. Ao definir o objetivo Visualizações de vídeo, está dando a seguinte ordem: *Facebook, encontre dentro da minha segmentação e dentro da tua base de usuários aqueles que geralmente assistem a mais vídeos.* O motivo dos anúncios de Facebook funcionarem tão bem é que eles têm a sua própria inteligência. O Facebook aprende com o comportamento dos usuários e entrega aquilo que eles mais gostam de consumir.

O BOTÃO PROIBIDO DO FACEBOOK

O Facebook está sempre testando novas formas de rentabilização e de ajudar os seus anunciantes a atingirem o seu público. E, numa tentativa de facilitar a vida a quem anuncia, o Facebook criou um botão que fica sempre muito próximo a cada publicação sua. Estou falando do botão de *Turbinar publicação*.

54. TURBINAR PUBLICAÇÃO

O botão azul que está vendo na imagem permite que, em poucos segundos, a sua publicação apareça a um maior número de pessoas. No entanto, essa não é uma opção muito inteligente...

Uma das grandes diferenças do Facebook para qualquer outra plataforma de anúncio é que a sua capacidade de segmentação é extremamente elevada. Com o Facebook, você consegue anunciar para quem está voltando de férias, para quem acabou de ter um filho ou até para quem está vivendo na rua X. No entanto, o botão *Turbinar* vai contra tudo isso. Assim como o próprio nome indica, o que ele faz é *Turbinar* o seu post, fazendo com que ele chegue a mais pessoas, sem grandes segmentações ou estratégia. Apenas chega a mais pessoas, ponto.

Não digo que o *Turbinar* não possa gerar resultados. Ele gera. Porém, esses resultados poderiam ser bem melhores se usasse todas as possibilidades de segmentação que o Facebook oferece. Por isso, siga o meu conselho: só use o botão *Turbinar* se não tiver alternativa. Caso contrário, estará diminuindo suas chances de sucesso. Existem apenas algumas situações em que recomendo usar esse tipo de botão:

- Se tiver pouco tempo para criar um anúncio e quiser começá-lo o quanto antes.
- Se tiver um público extremamente pequeno e quiser gerar engajamento rapidamente.
- Se quiser apenas ver como funcionam os anúncios do Facebook e fazer os seus primeiros testes.

E O BOTÃO AZUL DO INSTAGRAM?

O Instagram também tem o seu botão turbinar, mas ele muda de nome: no Instagram ele é conhecido como *Promover*.

55. PROMOVER NO INSTAGRAM

Apesar de também não recomendar o uso dele, o botão *Promover* tem algumas diferenças em relação ao Instagram. Em primeiro, lugar ele pode ser usado para três objetivos:

- **Visitas ao perfil.** Aqui, o Instagram anuncia seu post, mas na parte de baixo fica um botão com a opção de visitar o perfil. Funciona muito bem quando o seu objetivo é aumentar o número de visitas ao perfil.

- **Seu site.** Aqui você insere um link e este objetivo tenta levar o máximo de pessoas para esse link.
- **Direct.** Aqui ele cria um botão que, ao ser clicado, direciona o usuário é para o seu direct. Este tipo de objetivo é interessante para quem costuma fazer muitas vendas via direct do Instagram.

E é apenas isso. Assim como o botão do Facebook, o do Instagram também é bastante limitado e recomendo a utilização dele nas mesmas situações em que recomendei o do Facebook. A única exceção em relação ao objetivo de Visitas ao perfil. Ele é bem interessante para quem quer aumentar o número de seguidores. Caso esse seja o seu objetivo, vale sim o teste de usar aquele botão.

No Instagram existe, ainda, a opção de promover um story. Como nesta imagem:

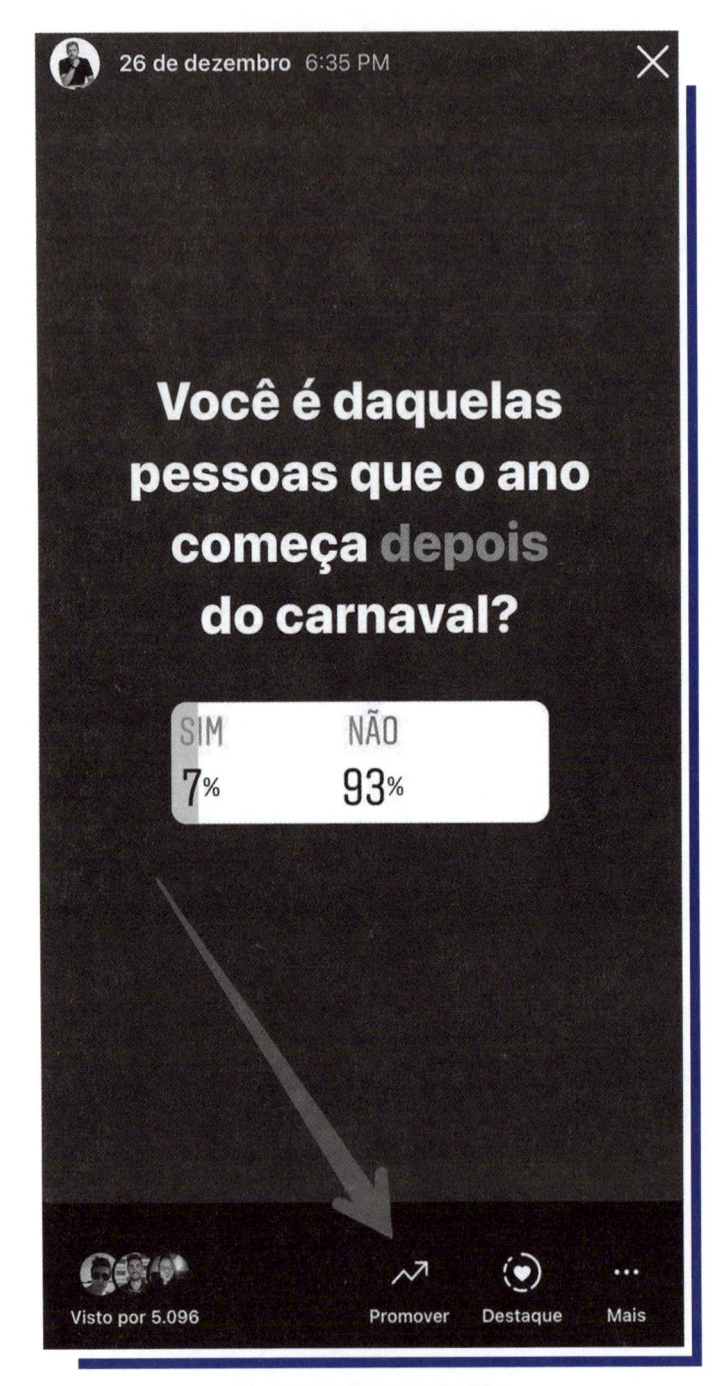

56. ANUNCIAR UM STORY

Com ela, você consegue promover um story que publicou. Ao clicar ali, o Instagram pergunta se você quer selecionar o objetivo: visitas ao site, visitas ao perfil ou receber mais mensagens diretas. Bem semelhante ao botão promover.

Lembrando que, para usar esses dois formatos de anúncios, você precisa ter uma conta comercial no Instagram.

GERENCIADOR DE ANÚNCIOS DO FACEBOOK

Nota: para entender perfeitamente os próximos passos, aconselho que faça login na sua conta do Facebook e siga passo a passo o que vou explicar em seguida.

Quando o Facebook começou a disponibilizar os seus primeiros anúncios, este era o único local em que se podia criar anúncios. Nos dias de hoje continua a ser a forma mais usada e também a mais simples para a criação de campanhas. Acredito que, em algum momento, você já tenha clicado em algum botão que dá acesso a esse painel. A forma mais simples de aceder é ir ao canto superior direito da sua conta do Facebook e clicar na seta. Veja na imagem a seguir como pode fazer:

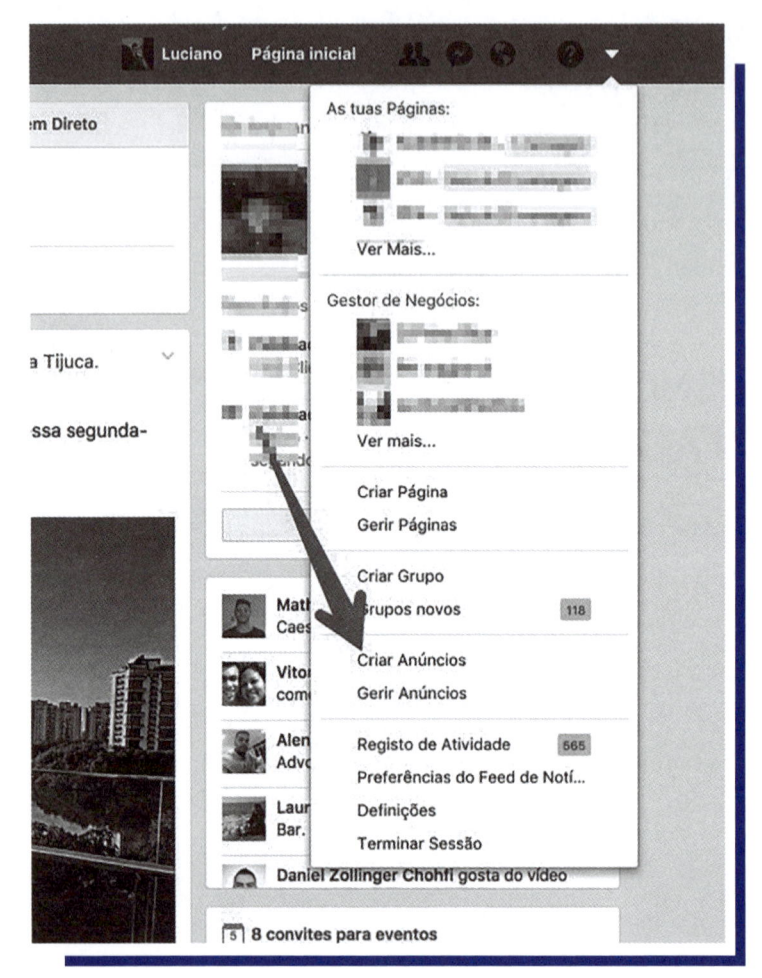

57. PRIMEIRO PASSO NO ANÚNCIO

Após clicar nesse botão, você vai direto para um painel em que o Facebook pergunta qual o objetivo da sua campanha. Lembra-se de termos falado sobre eles anteriormente? Quando falamos sobre eles, enumeramos 14 objetivos diferentes.

Para darmos como exemplo aqui no livro, vamos escolher a opção "Tráfego" e seguir em frente.

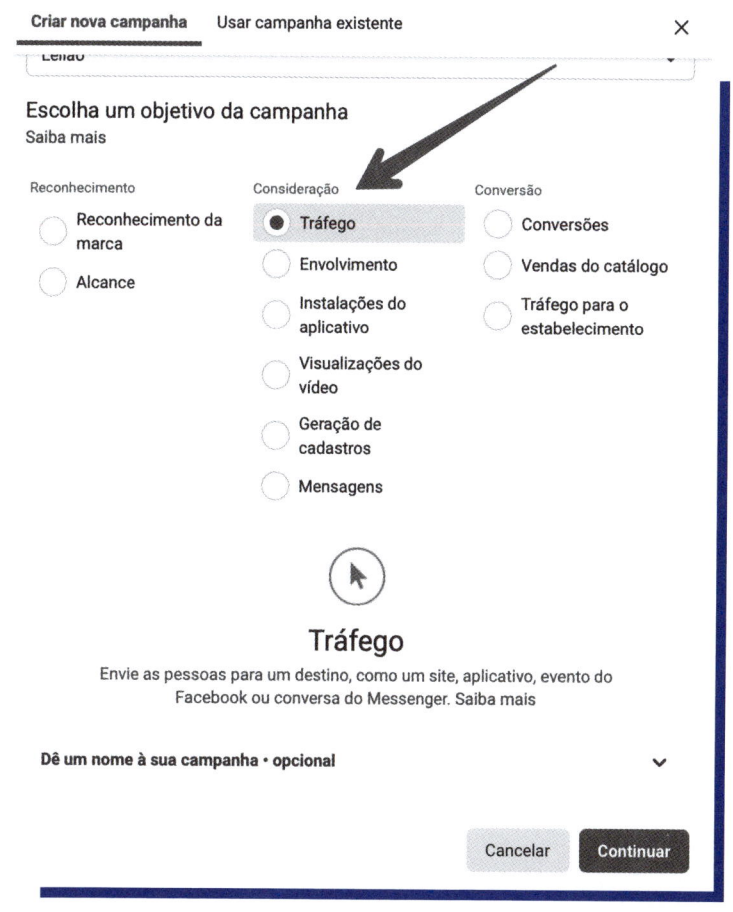

58. OBJETIVO TRÁFEGO NA CAMPANHA

Agora chegamos a um ponto muito importante relativo à publicidade no Facebook que você precisa entender. Cada campanha que você cria no Facebook está dividida em três fases:

- **Campanha:** neste passo, você define o nome da sua campanha, o objetivo e o orçamento.
- **Conjunto de anúncios:** nesta parte você define o orçamento do seu anúncio, a segmentação, a data e onde ele vai aparecer no Facebook.

- **Anúncio:** aqui você trabalha toda a parte do seu anúncio, como a imagem, o texto e os botões de *Call to Action*.

Quando começar a criar a campanha, uma coisa obrigatória é definir um nome para a sua campanha. É importante que o nome permita saber a qual produto se refere essa campanha. O nome serve, apenas, para identificação interna e não será exibido para os usuários do Facebook que visualizarem o seu anúncio.

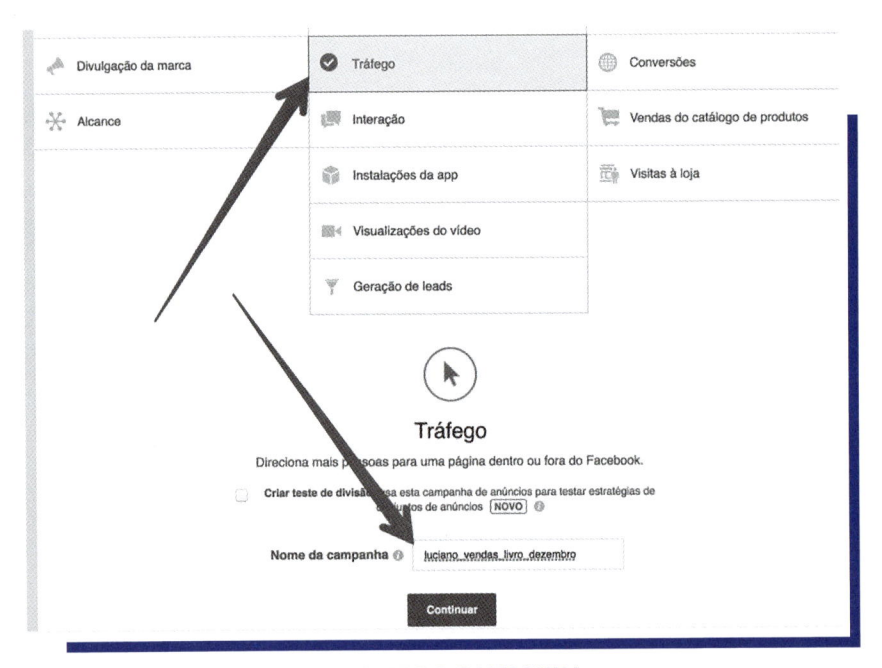

59. NOME DA CAMPANHA

Se estiver fazendo o seu primeiro anúncio, no passo seguinte, o Facebook vai pedir para criar a sua conta de anúncios. Cada conta pessoal do Facebook tem acesso a uma única conta de anúncios, sendo que esta pode estar ligada a todas as Fan Pages que gerir.

Exemplo: A minha conta pessoal do Facebook Luciano Larrossa tem agregada uma conta de anúncios. Porém, ela tem várias Fan Pages associadas a essa conta pessoal e, consequentemente, a essa conta de anúncios. Se quiser ter mais do que uma conta de anúncios, você precisa usar o Business do Facebook. Falaremos sobre ele mais à frente.

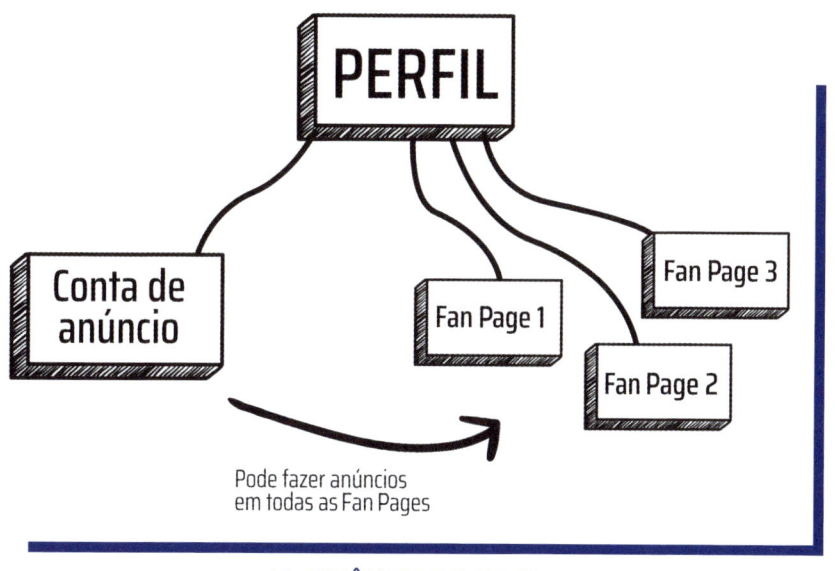

60. DINÂMICA DO PERFIL

No primeiro momento, caso este seja o seu primeiro anúncio, o Facebook vai apenas perguntar pelo nome da conta de anúncios e pelo fuso horário. Mais à frente, vamos falar sobre formas de pagamentos e quando (e como) o Facebook vai cobrar pelos seus anúncios. Vamos seguir na criação da nossa primeira campanha.

O passo seguinte é definir se o seu orçamento vai ser a nível de campanha (também conhecido como CBO) ou a nível de conjunto de anúncios (também conhecido como ABO).

Antes de explicar o que cada um significa, preciso que veja as imagens a seguir. Quando você cria uma campanha, pode ter mais do que um conjunto de anúncios. Veja este exemplo:

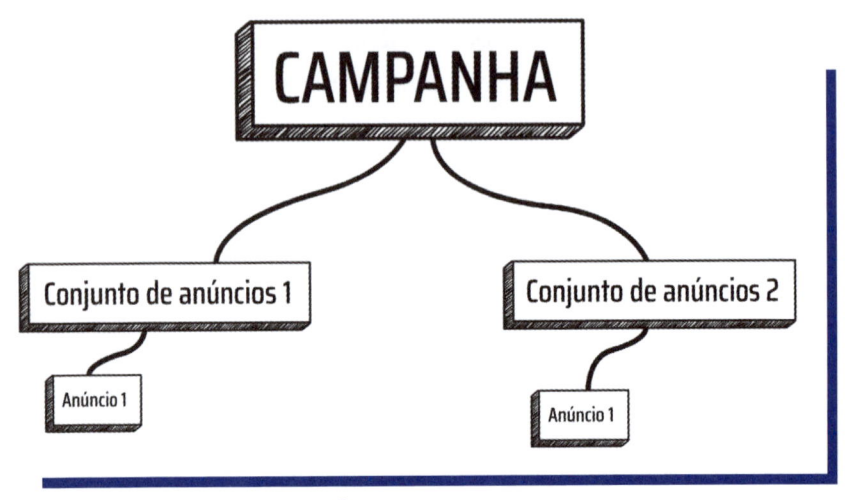

61. DINÂMICA DA CAMPANHA

Isso serve para você fazer testes. Vamos imaginar que quer fazer uma campanha do seu produto e analisar se ela performa melhor para quem tem o Interesse A ou o Interesse B. O que você faz é o seguinte: cria uma campanha, coloca dois conjuntos de anúncios dentro dela, cada um com um interesse diferente, e em cada uma delas você coloca o mesmo anúncio.

Veja um exemplo:

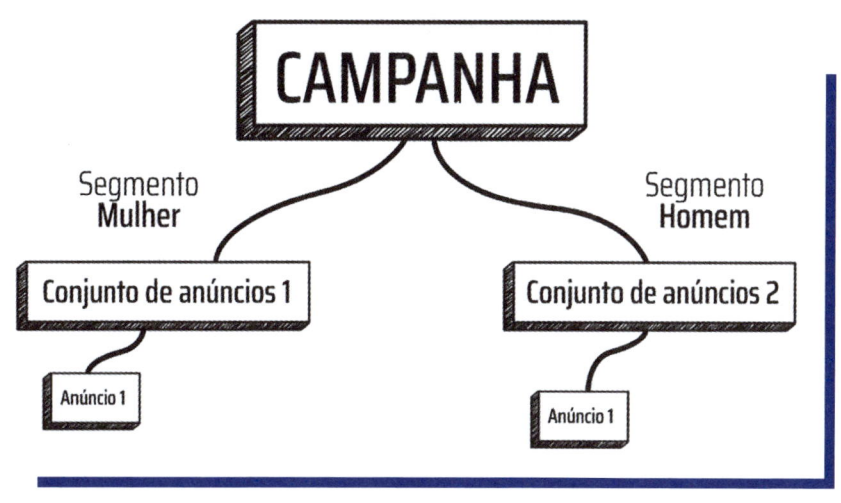

```
            ┌──────────────┐
            │  CAMPANHA    │
            └──────────────┘
      Segmento              Segmento
       Mulher                 Homem
┌──────────────────┐   ┌──────────────────┐
│Conjunto de anúncios 1│ │Conjunto de anúncios 2│
└──────────────────┘   └──────────────────┘
   ┌─────────┐              ┌─────────┐
   │ Anúncio 1│              │ Anúncio 1│
   └─────────┘              └─────────┘
```

62.

Entendeu agora? Não vou entrar muito em detalhes sobre as questões dos conjuntos de anúncios pois ela é um pouco complexa. Mas, por hora, preciso que você saiba que pode criar mais do que um conjunto de anúncios dentro da mesma campanha.

Entendido isso, agora precisamos voltar para o Orçamento a Nível de Campanha ou de Conjunto de Anúncios.

No Orçamento a Nível de Campanha, você define um valor para a campanha e o Facebook vai distribuir esse valor conforme ele entende que pode lhe entregar melhores resultados.

No exemplo anterior, se você colocasse R$ 20,00 por dia, ele poderia gastar R$ 15,00 no Interesse A e R$ 5 no Interesse B num dia e no dia seguinte gastar R$ 19,00 no Interesse A e R$ 1,00 no Interesse B.

Ou seja, o Facebook analisa onde existem maiores chances de entregar resultado para você e depois gasta mais dinheiro nisso.

Já no Orçamento a Nível de Conjunto de Anúncios, você define um valor certo para cada conjunto de anúncios. Você pode definir que vai colocar R$ 10,00 em cada conjunto de anúncios e pode ter a certeza de que o Facebook gastará esse valor.

Luciano, qual é a melhor opção?

Eu tenho usado majoritariamente a meu Orçamento a Nível de Campanha. Desta forma, a inteligência do Facebook tende a gastar onde existem mais chances de sucesso e, para mim, isso faz todo o sentido. Mas como no Facebook tudo é teste, a minha recomendação é que faça uma campanha com CBO e outra com ABO e veja qual delas funciona melhor para você.

Para selecionar o orçamento a nível de campanha basta deixar esta opção ativa:

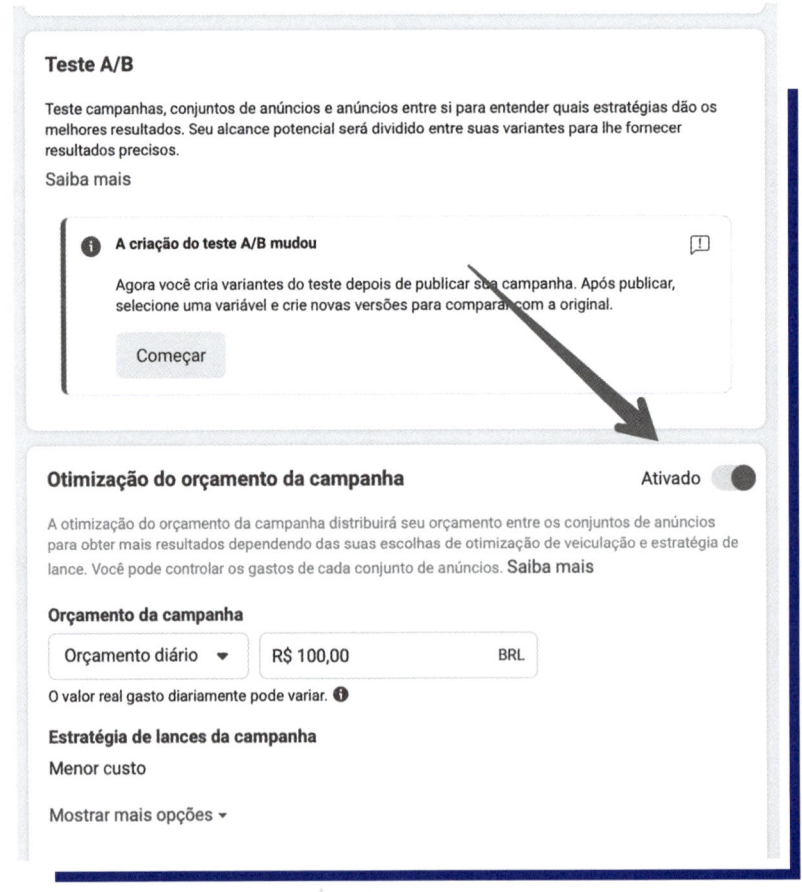

63. ORÇAMENTO A NÍVEL DE CAMPANHA ATIVADO

Caso deseje ativar o Orçamento a Nível de Conjunto de Anúncios, basta clicar no botão azul e deixar ele desativado.

Logo abaixo você define o seu orçamento. Existem dois tipos de orçamentos:

- **Orçamento diário:** você define quanto vai gastar por dia. Nesta opção, pode escolher definir que a sua campanha vai ter uma data de início e de fim ou então deixar ela sem data de fim. Se optar por não inserir a data de fim, o Facebook gastará o valor por dia estipulado até que você pause a sua campanha.

- **Orçamento total:** aqui, você define um valor total para a sua campanha e uma data de início e de fim. Porém, nesta opção, o Facebook garante que vai gastar o seu valor no período mas não garante que investirá o mesmo valor diariamente. Vamos a um exemplo: imagine que definiu como o seu orçamento total R$ 100,00 para 5 dias. No primeiro dia pode ser que o Facebook gaste R$ 20,00, no segundo R$ 5,00, no terceiro R$ 7,00 e por aí vai. Entendeu? Ele vai gastar os seus R$ 100,00, mas o valor diário não será constante.

64. ORÇAMENTO DIÁRIO

Qual o melhor, Luciano?

Eu uso sempre Orçamento diário e recomendo que use também. Prefiro ter o controle de quanto vou investir por dia. Se estiver começando, recomendo que defina Orçamento diário e uma data de fim para suas campanhas. Recomendo sempre isso pois já vi muitos anunciantes não inserirem uma data de fim e depois se esquecerem de pausar a campanha. Dessa forma, o Facebook continuou gastando o valor diário do anunciante até que ele pausasse a campanha. Sem perceberem, já tive alunos que gastaram R$ 5 mil só porque se esqueceram que o anúncio estava ativo e só foram reparar nisso quando o Facebook cobrou do cartão. E depois de cobrado não há como voltar...

O passo seguinte é a criação do seu conjunto de anúncios. Escolher o país, a cidade ou a rua onde o seu anúncio vai aparecer é um dos primeiros passos. No caso da imagem a seguir, escolhi a Rua Rosa dos Ventos, em São Paulo. Repare como aparece um mapa logo abaixo mostrando a minha segmentação e o raio, que é quantos quilômetros à volta dessa rua serão alcançados pelo meu anúncio.

65. SEGMENTAÇÃO GEOGRÁFICA

Mais abaixo, você pode definir se quer que o seu anúncio apareça para homens, mulheres, para ambos e ainda definir a idade.

No lado direito do mapa, repare que o Facebook tem um *termómetro* que indica se o seu público está demasiado restrito ou extremamente amplo. Se ele se mantiver no verde, significa que — na maioria das vezes — o seu público está com o tamanho ideal.

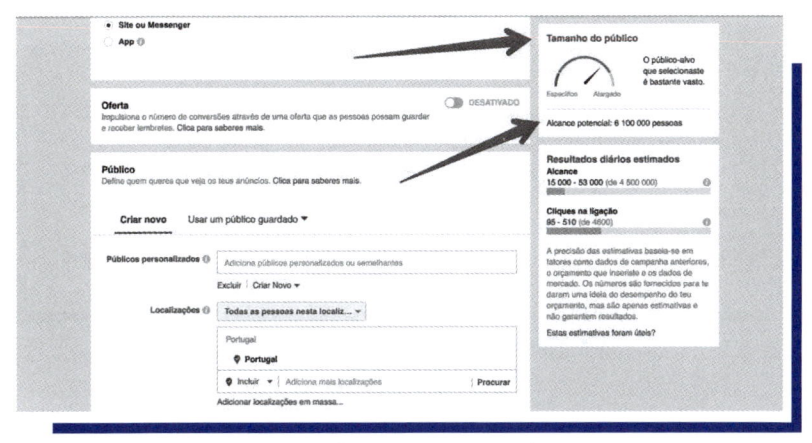

66. O TERMÓMETRO DOS ANÚNCIOS

Logo abaixo, mostra quantas pessoas potenciais o seu anúncio pode atingir. Esse alcance vai estar sempre dependente de quanto investir.

Por baixo do mapa, ficam talvez as duas funcionalidades de segmentação mais utilizadas: o género e a faixa etária. Quando anunciar, pense bem se o seu produto é mais para homens ou mulheres ou em qual faixa etária ele está enquadrado.

67. GÉNERO E IDADE

Depois encontramos a parte mais importante da segmentação: Direcionamento detalhado. Existem, essencialmente, três grandes opções de segmentação que você pode usar: *Dados demográficos*, *Interesses* e *Comportamentos*.

68. DIRECIONAMENTO DETALHADO

Vamos explorar cada uma dessas opções.

Comecemos pelos *Dados demográficos*. Confira algumas segmentações que você pode fazer nesta parte:

- Pode anunciar para pessoas que estão casadas, solteiras, noivas, em união estável etc.
- Pode anunciar apenas para pessoas que têm licenciatura, mestrado ou doutorado.
- Pode anunciar para pessoas de acordo com o cargo que elas assumem (CEOs, diretores comerciais etc.).
- Pode anunciar para pessoas que têm filhos dos 3 aos 5 anos, dos 6 aos 8, dos 8 aos 12, dos 13 aos 18 etc.
- Pode anunciar para pessoas que estejam longe da sua cidade natal, longe da família, numa nova relação ou até mesmo em uma relação a distância.

Veja aqui como selecionar:

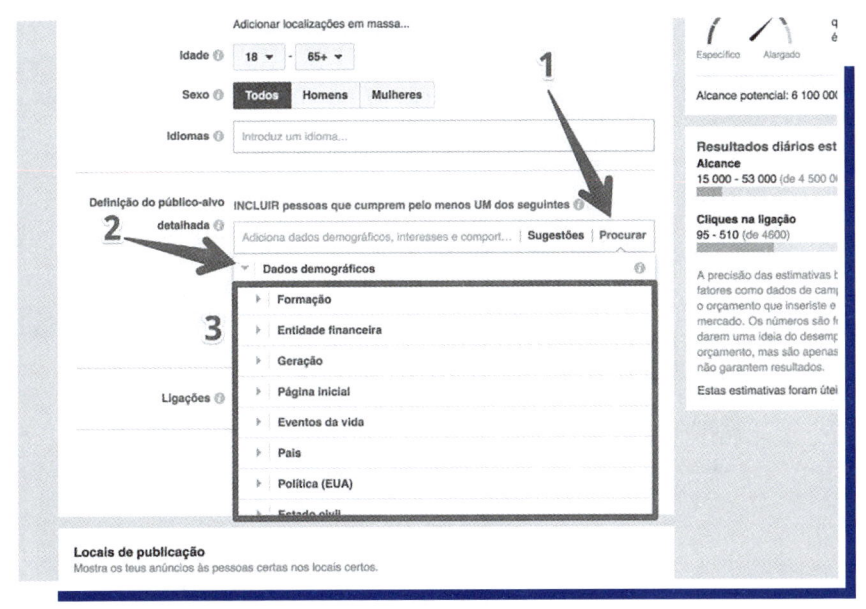

69. SELECIONAR SEGMENTAÇÕES

Já imaginou a possibilidade de segmentações que têm aqui? O seu público abrange apenas pessoas que estão casadas? Faça anúncios para elas. O seu produto só é comprado por pais que têm filhos dos 6 aos 12 anos? Faça anúncios para eles! Quer atingir os CEOs das grandes empresas? Segmente por cargo! Na parte dos *Dados demográficos* fica tudo aquilo que o usuário preencheu no perfil.

Repare no meu caso:

70. PERFIL DE USUÁRIO

Aqui eu informo que estudei no IPLeiria, que vivi em Alcobaça e que nasci em Pelotas, no Brasil. Repare que, acima, o Facebook me pergunta o que eu estudei no IPLeiria. Ele quer mais informações sobre mim para que, por um lado, os anunciantes tenham mais eficácia nos seus anúncios e, por outro, enquanto usuário, eu receba anúncios que me interessam.

Abaixo dos *Dados demográficos* temos os *Interesses*. Assim como o próprio nome indica, os Interesses são tudo aquilo que o usuário demonstra ter interesse no Facebook.

71. INTERESSES NA SEGMENTAÇÃO

Os *Interesses* têm como base ações que você demonstrou no Facebook. Páginas que curtiu, publicações que compartilhou ou palavras que escreveu no chat.

Vamos imaginar que você quer fazer um anúncio apenas para pessoas que têm interesse em *Facebook Marketing*, por exemplo. Basta escrever essas duas palavras neste campo que o Facebook apresentará o seu anúncio para pessoas que tenham interesse nessa palavra-chave. É necessário realçar que nem todos os tipos de interesses estão disponíveis no Facebook. É uma questão de escrever e verificar se o Facebook apresenta algum resultado compatível. Conforme forem surgindo os resultados, o Facebook vai dando novas sugestões. Veja a seguir as sugestões que aparecem ao inserir a *keyword* Marketing.

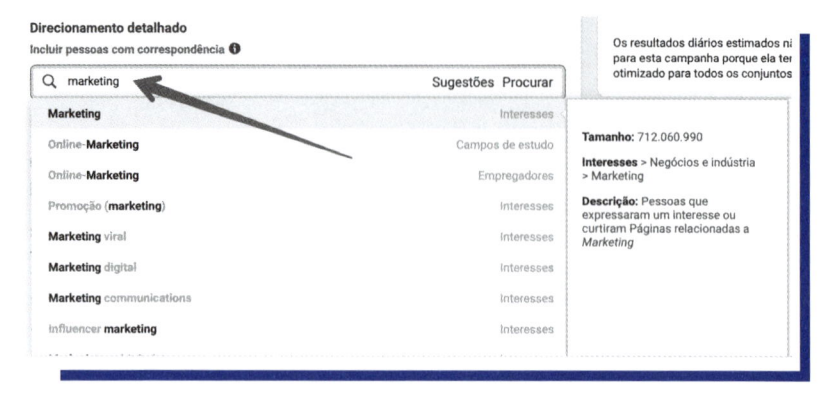

72. EXEMPLO DE DIRECIONAMENTO DETALHADO

Note que, conforme for adicionando mais interesses, o Facebook funciona num formato de "ou" e não "e". Para entender melhor, vamos voltar ao exemplo da *keyword* Marketing. Vamos imaginar que selecionamos essa palavra e também a *Keyword* Publicidade. Ao usarmos ambas (marketing e publicidade), o Facebook vai procurar por usuários que gostam de Marketing ou de Publicidade, o que aumenta a nossa base potencial de alcance. Conforme adiciona mais palavras-chave, mais a sua base vai crescendo e mais amplo o seu público fica.

Em seguida temos a parte do *Comportamento*. Esta é mais uma opção excelente e que deve ser explorada em produtos específicos. Nessa opção você consegue:

- Anunciar para usuários que estão usando o Chrome, o Firefox, o Opera etc.
- Anunciar para usuários conforme o seu sistema operativo (Mac OS X ou Windows).
- Anunciar para usuários que são emigrantes.
- Anunciar para usuários que estão utilizando determinado modelo de celular.

- Anunciar para pessoas que estão viajando.
- E muito mais.

Mais uma vez: pense nas várias possibilidades de segmentação que são possíveis aqui. Vende um produto que apenas pode ser consumido por brasileiros que estão na França? A partir do Facebook você pode anunciar para esse público! Vende capinhas para celulares e quer vender apenas para os usuários do iPhone? Também pode fazê-lo!

Repare também que, ao selecionar algumas dessas opções, o Facebook cria as opões *Excluir* e *Limitar público*. Para entender como funciona cada uma delas, vou dar alguns exemplos a seguir.

Imagine que pretende segmentar para os interessados em Marketing no Facebook, mas pretende remover todos os que têm esse interesse mas que estudaram em alguma faculdade. Teria que selecionar a opção *Excluir pessoas*:

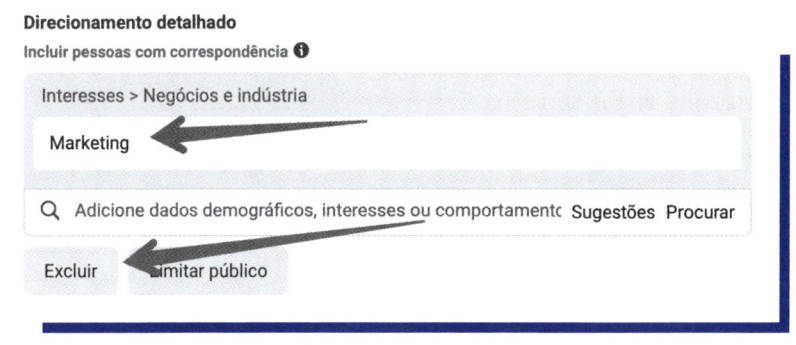

73. BOTÃO DE EXCLUIR PESSOAS

E depois selecionar a segmentação que vai remover (neste caso usando a opção Alguma faculdade).

Ficaria assim:

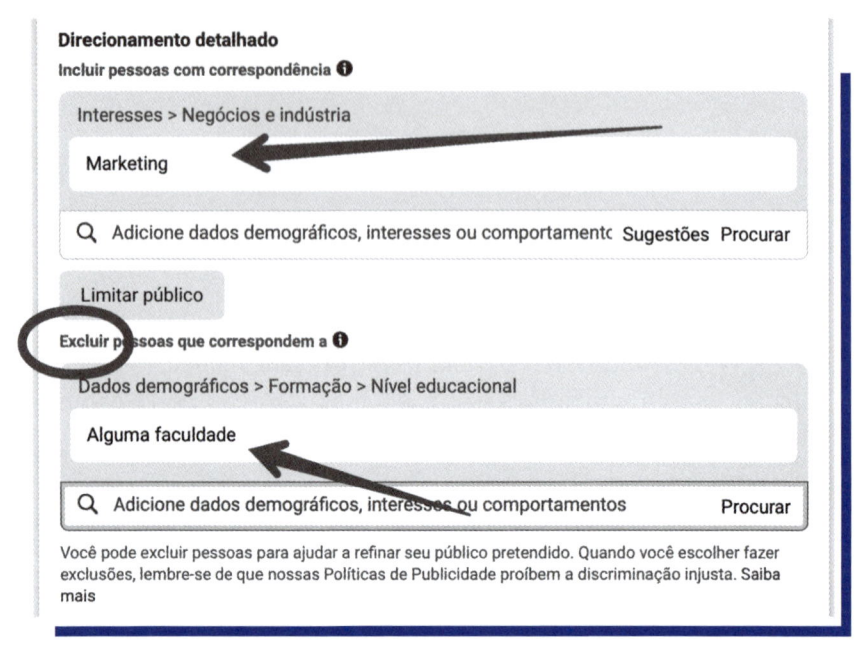

74. EXCLUINDO PESSOAS

O que está dizendo ao Facebook é muito simples: *"Facebook, encontre todos os usuários com interesse em Marketing mas exclua todos os que estudaram em alguma faculdade!"*

Já a opção de *Filtrar público* vai combinar interesses. Usemos novamente o exemplo do Marketing e dos que fizeram Alguma faculdade. Aqui, você vai dizer ao Facebook o seguinte: *Facebook, encontre todos os usuários com interesse em Marketing e que tenham estudado em alguma faculdade!* Aqui junte sempre duas condições e elas têm que ocorrer em simultâneo para que o seu anúncio apareça.

Pode inserir, tanto em uma como em outra, quantas segmentações quiser.

Logo abaixo tem a opção de direcionamento detalhado. Nela, você pode expandir os seus interesses. Veja o que o Facebook diz sobre isso:

A expansão do direcionamento detalhado nos permite mostrar seus anúncios para mais pessoas, o que pode ajudar você a atingir sua meta de otimização.

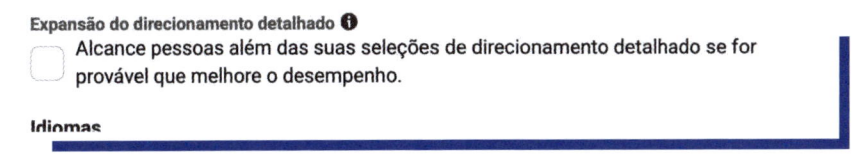

Expansão do direcionamento detalhado ⓘ
☐ Alcance pessoas além das suas seleções de direcionamento detalhado se for provável que melhore o desempenho.

Idiomas

75. DIRECIONAMENTO DETALHADO

Até agora, os testes que fiz não me deram grandes resultados adicionando essa opção. Por vezes, uma segmentação que tinha 100 mil pessoas acaba aumentando para 500 mil só por ter selecionado a opção. Mas, como nos anúncios tudo é teste e o que não funcionou para mim não significa que não funcione para você, recomendo que você teste e veja se no seu caso dá certo.

Por último, na parte das segmentações, temos a opção das conexões. Nela, você pode escolher se quer apresentar o seu anúncio apenas para quem curtiu sua Fan Page, para os amigos dos fãs ou excluir as pessoas que curtam a sua página, como mostro a seguir. Nos dois menus logo abaixo, o mesmo acontece para os Aplicativos e para os Eventos.

Conexões

Adicione um tipo de conexão ▼

Páginas do Facebook
○ Pessoas que curtiram a sua Página
○ Amigos de pessoas que curtiram a sua Página
○ Excluir pessoas que curtiram a sua Página

Aplicativos
○ Pessoas que usaram o seu aplicativo
○ Amigos de pessoas que usaram o seu aplicativo
○ Excluir pessoas que usaram o seu aplicativo

76. CONEXÕES

Atente para o fato de que essas opções estão ligadas às anteriores. Ou seja, vamos imaginar que você faz a segmentação por interesses e escolhe a palavra "Marketing". Depois, se for selecionar a opção "Pessoas que curtiram a sua página", o seu anúncio vai aparecer para todos os seus fãs que gostam de Marketing, tornando o seu público extremamente restrito.

Logo abaixo está a parte dos Posicionamentos. Lembra que mostrei que existem vários locais em que os seus anúncios podem aparecer, como o computador, o celular ou os stories do Instagram? É aqui que definimos essa parte.

O Facebook dá duas opções: *Posicionamentos Automáticos* e *Posicionamentos Manuais*. Se deixar a primeira opção selecionada, o Facebook vai entregar o seu anúncio para todos os locais disponíveis. Se selecionar a segunda, você mesmo escolhe onde o seu anúncio vai aparecer.

77. POSICIONAMENTOS

E aqui várias coisas interessantes acontecem. Se você optar pelo Posicionamento automático, o Facebook vai procurar, entre todos os locais de publicação, onde o seu anúncio pode ser apresentado com o menor custo e também onde existem maiores chances de ele cumprir o objetivo que você definiu.

Então isso significa que Posicionamentos automáticos vai sair mais barato? Na maioria das vezes, sim, mas nem sempre. Existem algumas situações em que remover os posicionamentos automáticos e definir os manuais será benéfico para você. Vou enumerar algumas:

- Quando você vende muito pelo Instagram ou pelo Facebook e quer construir audiência em apenas uma das redes.
- Quando você analisa e vê que apenas uma das redes lhe traz clientes pagantes.

Uma dúvida muito comum sobre os posicionamentos automáticos é se o Facebook gasta o valor de forma proporcional em todos os posicionamentos que ele tem. E a resposta é não, ele não gasta de forma igual. No momento que escrevo este livro, você consegue selecionar 18 posicionamentos diferentes dentro do Facebook e do Instagram. Agora, imagine que está investindo R$ 180,00 por dia. Isso não significa que ele vai gastar R$ 10,00 em cada posicionamento. O processo acontece em três passos:

- **Passo 1:** o algoritmo analisa, pelo seu histórico de anunciantes, em quais locais o seu anúncio tem maiores chances de ter sucesso.
- **Passo 2:** ele começa gastando partes do seu orçamento nesses locais.
- **Passo 3:** passadas horas ou dias, ele praticamente só gasta o seu orçamento nos locais que estão trazendo melhores resultados.

As inteligências do Facebook e do Instagram são as suas grandes armas, e são elas que garantem tanto resultado nos anúncios. Por isso, na maioria das vezes, deixar essas inteligências atuarem é o melhor que pode fazer. Obviamente, podem existir exceções, como vimos anteriormente, mas na maioria das vezes o Facebook está certo.

A parte seguinte é a criação do anúncio. E, na criação do anúncio, as principais dúvidas estão relacionadas ao seu formato.

É melhor usar imagem ou vídeo? Devo usar uma única imagem ou várias imagens?

Não existem fórmulas prontas. Você sempre precisará testar e entender qual o formato que funciona melhor para você. Mais à frente neste livro, darei alguns conselhos de como ter anúncios que geram bons resultados, mas não tem como afirmar se vídeo ou imagem são melhores. Você precisa testar o tempo todo.

Outro ponto importante: recomendo que, para cada conjunto de anúncios, teste pelo menos três anúncios com imagens diferentes. Este será um número suficiente para fazer vários testes e perceber quais imagens funcionam melhor. Aliás, esse é o número de imagens aconselhado pelos gestores de contas do próprio Facebook, que em várias reuniões ao longo dos anos me aconselharam sempre a criar três imagens para cada conjunto de anúncios.

A estrutura da sua campanha ficaria desta forma:

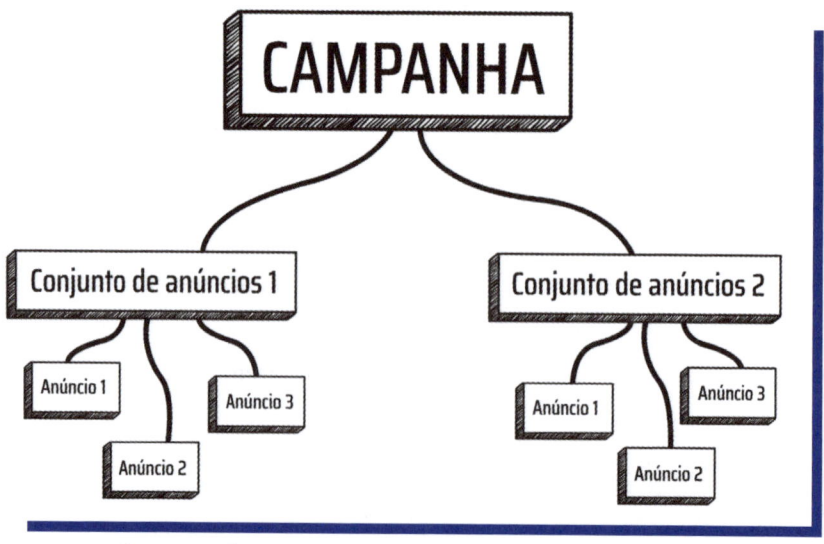

78. VÁRIOS ANÚNCIOS NO MESMO CONJUNTO DE ANÚNCIOS

Na hora de criar o anúncio, você pode:

- **Criar um anúncio:** aqui você vai subir um vídeo ou imagem para o seu anúncio, definir um título, uma descrição etc. Nessa opção, você cria o anúncio e ele aparecerá vinculado à sua página de Facebook e Instagram, mas não será publicado no seu feed, como é feito numa postagem, por exemplo. Se alguém visualizar o seu anúncio e depois for à sua conta do Instagram ou do Facebook e procurar por esse anúncio, não o encontrará. Resumindo: eles são visíveis apenas por meio de anúncios pagos, para um público segmentado, ficando ocultos de forma orgânica.

- **Usar uma publicação existente:** aqui você seleciona um post que já fez no seu Instagram ou Facebook e o anuncia.

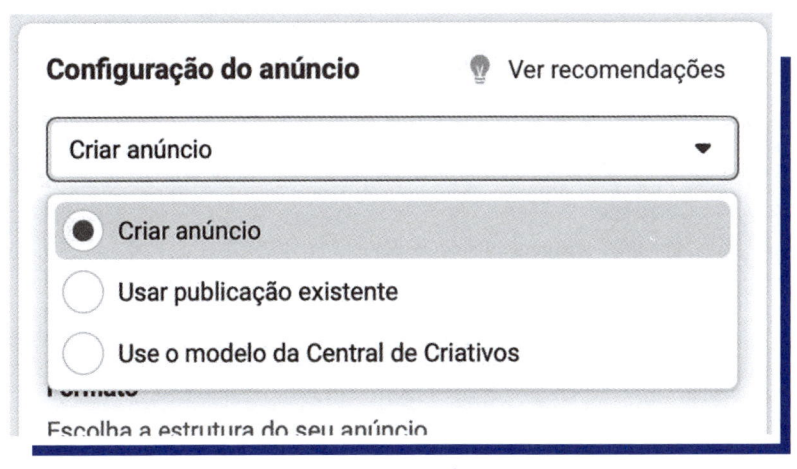

79. TIPOS DE ANÚNCIOS

Eu não sou muito adepto de usar a publicação existente por vários motivos que talvez sejam um pouco complexos de explicar num livro. O que posso lhe dizer é que usar a sua publicação acaba limitando a sua capacidade de testes, pois você fica dependente de uma única publicação para o seu anúncio. Já quando cria o anúncio do zero, você consegue testar imagens, títulos, descrições, entre outras coisas.

A única vantagem que vejo em usar a publicação existente é que todas as curtidas e comentários do post ficarão no seu post original. Desta forma, quando alguém novo chega no seu perfil, verá que você tem vários posts com bastante interação e isso ajudará na sua prova social. Os usuários tendem a achar que perfis com bastante interação são mais bem-sucedidos e, com isso, seguem mais facilmente esse tipo de perfil.

Por outro lado, ao criar o anúncio do zero, toda a interação ficará no anúncio. Se você pausar o seu anúncio, toda aquela interação não fica visível no seu perfil. Esses anúncios também são chamados de *Dark Posts*.

O passo seguinte é selecionar os formatos de anúncios.

Formato
Escolha a estrutura do seu anúncio.

- **Imagem ou vídeo único**
  Uma única imagem ou vídeo, ou uma apresentação multimídia com várias imagens
- **Carrossel**
  2 ou mais imagens ou vídeos roláveis
- **Coleção**
  Grupo de itens que são abertos em uma experiência móvel em tela cheia

80. FORMATO DOS ANÚNCIOS

Você pode selecionar uma única imagem, um vídeo, um carrossel (várias imagens ou vídeos na sequência) ou uma coleção. Este último formato praticamente não é usado, por isso não vamos abordá-lo no livro.

Confira alguns detalhes a levar em consideração em cada um deles:

Imagem

- Imagens que não parecem anúncios tendem a funcionar melhor.
- Use imagens que mostram os bastidores do seu negócio ou pessoas usando o seu produto. Na campanha que fiz para uma escola de balé, a imagem que mais rendeu foi uma foto tirada pelo celular com duas crianças da escola dançando.
- A imagem deve ter 1080 x 1080 pixels. Mas você nem precisa saber o que significam estas medidas. Ferramentas como o Canva, por exemplo, já vêm com modelos predefinidos para imagens com anúncios.

Vídeo

- Use vídeos de no máximo dois minutos para que possam aparecer também no Instagram.
- Use legendas, se possível. Muitas pessoas tendem a ver vídeos sem som.
- Mostre os bastidores do seu negócio ou o uso do produto. O anúncio em que folheio o livro ainda hoje rende centenas de vendas de livros por mês. Foi um vídeo extremamente simples: peguei no livro, filmei a mim mesmo folheando ele, editei no InShot (um app gratuito) e subi o meu anúncio. O simples converte!
- Os primeiros três segundos são fundamentais. Se você não chamar a atenção das pessoas nos primeiros três segundos, elas ignorarão seus vídeos.
- Adicione texto ao seu vídeo. Não é por ser um vídeo que ele não pode ter texto!
- Faça com que ele não pareça um anúncio.

Carrossel

- Mais usado para mostrar várias características ou benefícios de um produto.
- Usado muito por e-commerces e funciona muito bem nesta área.
- Funciona em menos objetivos de campanha. Mais usado em Tráfego ou Conversão.

Definido o formato, vamos para a criação do anúncio em si.

81. CRIAR O ANÚNCIO

Vejamos o que você precisa fazer em cada um destes detalhes. Vou explorar apenas o que considero fazer sentido para a criação do seu anúncio:

1. **Adicionar mídia:** aqui você seleciona qual imagem ou vídeo vai usar.
2. **Texto principal:** este texto ficará acima da sua imagem ou vídeo no anúncio. É a área em que existe o primeiro contato do usuário com o seu anúncio. Fundamental para chamar a atenção dele!
3. **Título:** o título do seu anúncio. É como se fosse o título de um texto de jornal. O seu título precisa ser específico e chamativo, caso contrário, ninguém vai parar para ler o resto.
4. **Descrição:** o que fica abaixo do título. Funciona como um complemento relativo a toda a informação que vem no anúncio. Muitas vezes não é lido por quem recebe o anúncio.
5. **Site:** como selecionamos o anúncio de tráfego, isso significa que é necessário inserir um link. Afinal de contas, tráfego é para aumentar as visitas ao site.

Nota: Se você selecionar um objetivo de campanha diferente, pode ser que alguns desses elementos não estejam no anúncio. É normal. Objetivos diferentes levam a pequenos detalhes que também são diferentes. Assegure-se de que selecionou o objetivo de tráfego no início da sua campanha.

Agora basta clicar em "Confirmar" e, caso esteja criando o seu primeiro anúncio, o Facebook vai abrir uma janela e perguntar pelo método de pagamento que você quer utilizar. Neste caso existem várias opções de acordo com o país onde estiver criando o anúncio. Por norma, as formas de pagamento por cartão de crédito e Paypal funcionam em qualquer país. Basta inserir os dados de um desses métodos de pagamento para o Facebook avançar com o seu anúncio.

E não se preocupe: o Facebook não vai cobrar, nos próximos minutos, nada no seu cartão de crédito ou conta Paypal. Muitas pessoas ficam assustadas ou deixam de anunciar pelo medo de fornecerem os seus dados para pagamento. Não se preocupe. O Facebook é uma entidade segura e o risco de isso acontecer é quase zero.

E quando o Facebook vai cobrar o valor gasto em anúncios?

O Facebook tem duas formas de fazer a cobrança dos anúncios: por data ou por limite de gastos. Para saber qual é a próxima data ou limite, você que acessar:

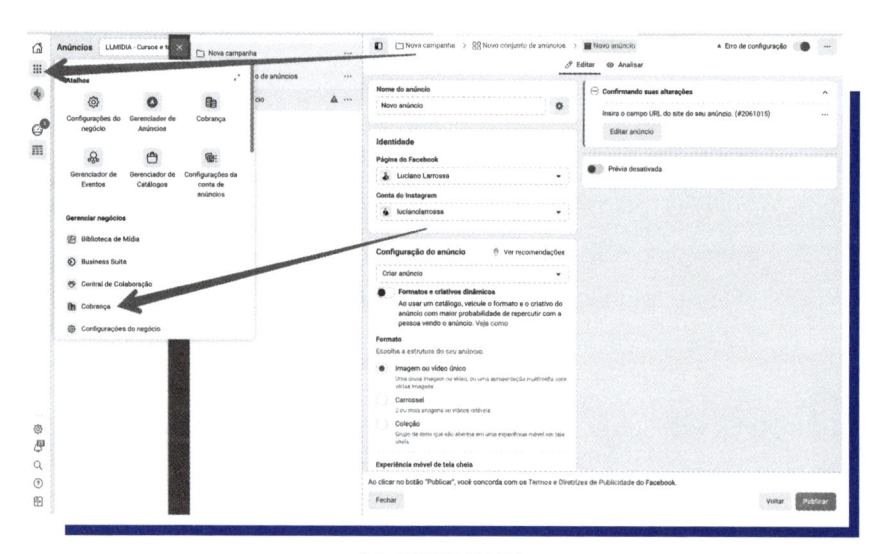

82. COBRANÇA

Depois selecione a opção Configurações de pagamento:

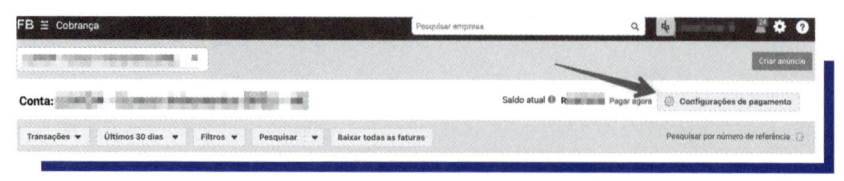

83. CONFIGURAÇÕES DE PAGAMENTO

Agora você vai a um painel como este:

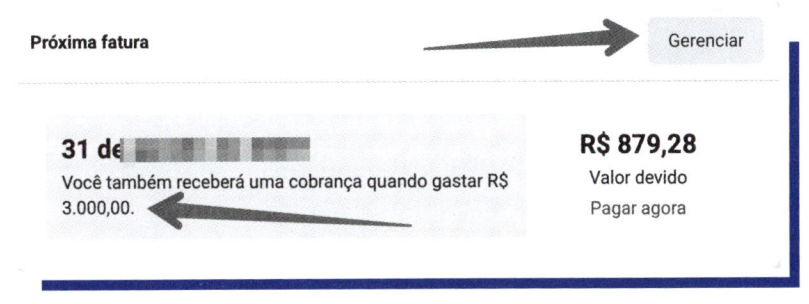

84. ALTERAR LIMITE

No meu caso, o meu limite é de R$ 3 mil. Quando eu gastar R$ 3 mil num mês, o Facebook vai cobrar esses R$ 3 mil no meu cartão de crédito. Caso eu não gaste R$ 3 mil neste mês, ele cobrará no último dia do mês. No seu caso, pode ser que o valor seja inferior. Se quiser aumentá-lo, basta clicar no botão Gerenciar — o Facebook analisará se a sua conta tem histórico suficiente para aumentar para o valor que você pretende.

REGRAS DOS ANÚNCIOS

Assim como em qualquer mídia online, o Facebook também tem as suas próprias regras para os anúncios. É muito importante que você fique por dentro de todas as diretrizes de anúncios do Facebook, caso contrário, a sua conta de anúncios pode ser excluída em poucos dias ou até mesmo horas!

Durante as próximas linhas vou só lhe mostrar quais as regras principais e que geralmente afetam a maioria dos negócios. Se quiser saber mais sobre todas as regras — e aconselho que o faça — acesse o URL oficial do Facebook: **https://www.facebook.com/policies/ads/**.

Vejamos algumas das principais regras:

- No meio de 2016, o Facebook retirou uma regra muito polêmica. Até então, as imagens nos anúncios não podiam ter mais de 20% de texto. No entanto, o Facebook removeu essa regra e já pode fazer anúncios com imagens com mais de 20% de texto. Por isso, a quantidade de texto do seu anúncio deixou de ser um problema, mas mesmo assim recomendo que leve isso em consideração. Lembre-se: o seu anúncio não deve parecer um anúncio.
- Antes de ficarem ativos, os seus anúncios serão sempre revistos, primeiro por um robô e depois, caso seja necessário, por um membro da equipe do Facebook.
- Anúncios relacionados com álcool não podem ser exibidos a públicos com menos de 18 anos (no caso de Portugal e Brasil).
- Anúncios relacionados com drogas, tabaco, armas, munições, explosivos, serviços para adultos ou suplementos que o Facebook considerar inseguros são estritamente proibidos.
- Imagens com algum tipo de nudez. Atenção: neste ponto o Facebook não é muito claro, por isso aconselho que tenha bastante cuidado com essa parte. Muitas vezes, uma fotografia de uma mulher de saia é considerada "nudez" pelo Facebook.
- Afirmações que descrevam uma pessoa não são permitidas (Por exemplo: "É cristão?" ou "Compra esta camisola, João").
- Práticas enganosas, como promessas de dinheiro fácil, são proibidas.
- Páginas de destino que não permitam que o usuário saia são proibidas.
- Imagens que retratem uma funcionalidade inexistente, como um Play de vídeo num anúncio de imagem, também não são aceitas.
- Imagens do estilo *antes e depois* não são aprovadas.

- Jogos de apostas online ou jogos de perícia são proibidos.

Desrespeitar qualquer uma dessas regras pode fazer com que fique sem a sua conta de anúncios. Por isso, nunca é demais avisar: faça os seus anúncios com o máximo de cuidado possível.

BLOQUEIO DE CONTAS: COMO EVITAR?

Se você desrespeitar as regras dos anúncios, uma coisa que pode acontecer é a sua conta de anúncios ser bloqueada. E, se ela for bloqueada, você não poderá anunciar por meio dela. Poderá criar outras contas de anúncios, mas para isso precisará de um outro perfil ou de Business do Facebook (falaremos sobre ele mais à frente). Por isso, o melhor que pode fazer é prevenir. Vou dar alguns conselhos de como evitar o bloqueio da conta de anúncios:

- **Parece óbvio mas vou relembrar:** respeite as regras dos anúncios. Cada vez que você sobe um anúncio e ele é rejeitado, é como se a sua conta fosse penalizada. Se tiver muitas penalizações, a sua conta será bloqueada.
- **Mantenha os seus métodos de pagamentos ativos.** Se o Facebook tentar cobrar do seu cartão, por exemplo, e não conseguir, isso também conta como uma penalização.
- **Não tente burlar as regras do Facebook com estratégias que viu na internet.** Lembre-se de que o Facebook está há anos combatendo esse tipo de estratégias e o mais provável é que ele descubra que você está tentando enganar ele.
- **Não deixe sua conta inativa durante vários meses.** O Facebook tende a encerrar contas que ficam muito tempo inativas.

Caso a sua conta de anúncios tenha sido bloqueada, seguem alguns conselhos que podem ajudá-lo:

- Clique no botão que diz para o Facebook rever a decisão. Muitas vezes eles voltam atrás.
- Caso a decisão seja definitiva, crie uma conta no Business (falaremos sobre isso mais à frente). Lá você conseguirá criar uma nova conta de anúncios.
- Caso possa acessar o Facebook de algum familiar, você consegue usar a conta de anúncios dele.
- Jamais repita o cartão de crédito de uma conta bloqueada. Esse cartão de crédito estará já na lista proibida do Facebook e, caso use ele numa conta nova, a conta nova será bloqueada também.
- Quando a conta é nova, é mais fácil seus anúncios serem rejeitados. Comece com anúncios menos arriscados numa conta recente.

Nas contas de anúncios, o melhor a fazer é sempre se precaver. Por isso, se puder sempre ter duas contas de anúncios (a principal e a secundária), ajudará bastante na hora de ter a sua conta principal bloqueada. Quem faz muitos anúncios em algum momento vai ter sua conta bloqueada. Mesmo que siga todos os conselhos que dei, um dia o Facebook pode considerar que você violou as regras e isso fará com que bloqueiem a sua conta. Não conheço ninguém que faz anúncios constantemente e invista milhares de reais e nunca tenha tido sua conta bloqueada.

Mas não se assuste: ter a conta bloqueada é normal. Não é nenhum crime. Faz parte do jogo. O importante é estar preparado(a) para voltar rapidamente para os anúncios.

Alguns conselhos

O que nós vimos anteriormente é apenas a parte teórica relacionada com a criação de publicidade. São os mínimos que um anunciante deve fazer para conseguir colocar a sua campanha no ar. Contudo, existem muitos passos a seguir após a criação da campanha. Criar um anúncio é apenas o primeiro passo no mundo imenso e concorrido que é o Facebook Ads.

Foi para ajudar o leitor na criação e conversão dos anúncios que preparei os próximos parágrafos, nos quais vou compartilhar com você algumas das principais estratégias para ser bem-sucedido na criação de publicidade no Facebook. São conselhos que têm melhorado os meus resultados, os dos meus clientes e de muitos alunos dos meus cursos. Porém, quero deixar um aviso: assim como em tudo na vida, não existem regras inquebráveis. Durante os próximos parágrafos vou mostrar várias estratégias que funcionam em grande parte dos negócios. No entanto, podem não funcionar no seu. É normal. Mas o meu conselho é que faça sempre os testes. Pegue alguns desses conselhos e faça testes. Confira se, no seu caso, eles geram bons resultados.

Esta é, talvez, uma das partes mais importantes deste livro. Por isso, pare tudo o que está fazendo e preste atenção às próximas linhas. Elas podem fazê-lo poupar milhares de reais. E não estou, de maneira alguma, exagerando.

Para onde encaminha o usuário é tão importante quanto o seu anúncio

Quando alguns alunos chegam nos meus cursos ou mentorias, uma das suas maiores frustrações é o fato de não conseguirem resultados com anúncios nas redes sociais. E, com isso, acabam por culpar o próprio Facebook ou Instagram, afirmando que eles não funcionam. No entanto, após analisar muitos dos casos, vejo que o grande problema está no local para onde são encaminhados os usuários provenientes do anúncio. Ou seja: o anunciante acaba por culpar o Facebook quando, na verdade, a página do site não está preparada para vender.

Antes de anunciar, tenha a certeza de que o seu site tem todas as condições para gerar vendas, contatos ou qualquer outro objetivo. Anunciantes experientes sabem que tanto o anúncio como o local para onde enviam os usuários são fatores extremamente importantes. Estude sobre Páginas de Captura e Páginas de Vendas. Existe muito material na internet que poderá ajudar. Anúncio bom não salva página ruim.

Não anuncie para a homepage do seu site

Este é um erro comum que muitos anunciantes ainda cometem. Anunciar para a homepage vai dar um leque muito grande de possibilidades ao seu potencial cliente, o que vai fazer com que ele se perca no seu site. Se quiser gerar vendas, mande o usuário do Facebook para uma página de um produto ou, na pior das hipóteses, para uma categoria do seu site! Mandar o usuário para a home é jogar dinheiro fora!

Experiência é tudo

Por mais conselhos que transmita durante este livro, nada substitui a sua experiência enquanto criador e gestor de anúncios no Facebook. Durante o percurso, você aprenderá a fazer melhores anúncios, a segmentá-los melhor e a conhecer as melhores estratégias para o seu negócio. Ninguém aprende a andar de bicicleta lendo apenas livros. Nos anúncios é igual. Este livro vai dar uma ótima base, mas a prática é que o tornará um expert no assunto. Como sempre digo: ação traz clareza!

Ganhe o hábito de testar e persistir

A diferença entre quem tem resultados nos anúncios e quem apenas tenta e fica para trás é a capacidade de testar. Os anunciantes que ficam pelo caminho desmotivam-se quando a primeira campanha não dá certo, reclamam quando ninguém clica ou ficam desesperados se uma conta é bloqueada. Faz parte do jogo! A sua capacidade de ficar sempre testando mas também de persistir será fundamental para ser bem-sucedido.

Quanto menos passos o usuário der, melhor

Na internet e em todo o mundo publicitário, menos passos significam mais vendas e conversões. Garanta que, quando estiver anunciando, o seu visitante precise dar o menor número de passos possível para concluir o objetivo final. Se quiser vender diretamente um produto, por exemplo, é determinante que o número de passos para a visita concluir essa compra seja o menor possível. Menos é mais!

Tudo o que pode ser criado, pode ser medido

Um dos principais vícios que eu tenho em anúncios de Facebook e Instagram é a vontade de medir tudo aquilo que publico. Tento sempre perceber quantas vendas o anúncio teve, onde as pessoas clicaram, a idade das pessoas que compraram, se foram mais homens ou mulheres, entre outros fatores.

Esse hábito tem me permitido conseguir melhores resultados com um menor investimento. Se quer ser bem-sucedido em anúncios (e na internet), aconselho que adquira esse hábito o quanto antes.

Chamadas para a ação ajudam muito

Chamadas para a ação são quando você pede ao usuário para fazer alguma ação. É quando você pede para ele clicar no seu anúncio para comprar o produto ou clicar para baixar um ebook, por exemplo. É importante que o seu anúncio tenha sempre uma chamada para a ação, pois isso aumenta a taxa de cliques e, automaticamente, torna também seus anúncios mais baratos.

Chamadas para a ação ajudam muito (2)

Outro dos motivos para incentivar o leitor a usar chamadas de ação é que uma boa parte dos usuários não tem a noção de que, para comprar o produto, é necessário clicar num link para visitar o site. Parece mentira, mas acontece bem mais vezes do que imagina. Não é incomum receber comentários nos anúncios como: *Adorei! Onde posso comprar?* ou *Gostei, mas quanto custa?*. As chamadas para a ação ajudam a evitar esse tipo de dúvidas.

A sua imagem ou o vídeo são o primeiro ponto de contato

Grande parte do segredo do sucesso do anúncio está no seu criativo (a imagem ou o vídeo). Arrisco dizer que, a par de um bom texto e de uma boa segmentação, a imagem é o terceiro fator decisivo para uma campanha eficaz. Uma boa imagem precisa ter, em primeiro lugar, uma ligação com o texto. Se o texto fala em *Bananas*, a imagem não pode falar em *Maçãs*. Texto e imagem precisar se comunicar.

Em segundo lugar, o criativo precisa fazer o usuário parar de consumir conteúdo da rede social e prestar atenção ao seu anúncio. Por isso, pense: como o criativo pode chamar tanto a atenção da pessoa a ponto de fazê-la parar de navegar pela rede social e prestar atenção ao seu anúncio?

Mais cliques não significam mais vendas

Mais à frente, quando analisarmos as estatísticas dos anúncios, você verá que existe uma métrica denominada por taxa de cliques, o CTR. Essa métrica é importante, pois, se o seu anúncio está conseguindo muitos cliques, é sinal de que ele está chamando a atenção do usuário. Contudo, mais cliques não significam mais vendas. Se o seu anúncio está tendo muitos cliques mas poucas vendas, você pode estar errando na segmentação, no anúncio, no objetivo da campanha ou na página para onde está levando o usuário. Cuidado com conclusões erradas das suas métricas.

Se estiver dando certo, não se entusiasme

Quando alguém começa a ter bons resultados com campanhas, a tendência é duplicar ou triplicar o valor investido. Vá com calma. O Facebook entrega os anúncios às pessoas certas utilizando o seu próprio algoritmo. Se duplicar ou triplicar o valor da campanha, ele começa a entregar sem grande critério e os seus resultados vão piorar. Aumente, no máximo, 25% do valor, e deixe a campanha rodar durante alguns dias antes de ativar esse valor novamente.

Faça anúncios que não parecem anúncios

Em muitos casos, fazer anúncios que pareçam conteúdo pode ser uma boa opção. Utilizar imagens com botões, setas ou algo que pareça comercial, por vezes, gera piores resultados do que fazer um anúncio de imagem que tem um formato de conteúdo e que seja percebido pelo usuário como tal.

Teste encaminhar os usuários para meios alternativos

Por norma, os anunciantes querem encaminhar os usuários para o site. Fazem um anúncio e a única opção de compra é no site. Porém, em alguns casos, encaminhar para meios alternativos, como telefone, Messenger ou WhatsApp, pode ser uma boa fonte de vendas. Se estivermos falando em negócios locais, esses meios de contato tendem a gerar muito resultado!

9 PIXEL DO FACEBOOK

O Pixel do Facebook é, talvez, das coisas mais complicadas que vai aprender neste livro. Ele é, também, a principal fonte de dúvidas e questões nas minhas formações e cursos de Facebook.

Este Pixel não é mais do que uma linha de código que é introduzida no seu site e ajuda a entender quem são os usuários que estão visitando o seu site e permitir que faça anúncios para eles.

Uma vez instalado no seu site, o Pixel vai rastrear os comportamentos dos visitantes e saber que aquele usuário que está visitando o seu site corresponde a um usuário do Facebook. Desta forma, você consegue anunciar para ele depois.

O Pixel instalado no seu site serve para três coisas:

- Criar um público de pessoas que visitaram o seu site.
- Mensurar suas campanhas de conversão. Com o Pixel você consegue mensurar, a partir do anúncio, quem comprou no seu site, quem se inscreveu, quem adicionou produtos ao carrinho, entre outros eventos. Fundamental na hora de analisar relatórios.
- Otimizar suas campanhas. Ao saber quem compra no seu site, ele analisa as características do usuário e procura usuários semelhantes dentro da plataforma, garantindo melhores resultados para suas campanhas.

Se você quer fazer anúncios de vendas no seu site ou quer captar contatos, usar o Pixel é indispensável. É praticamente impossível você ter bons resultados nos seus anúncios de conversão sem essa ferramenta.

Com o Pixel você conseguirá:

- Saber quanto está custando cada venda no seu site a partir dos anúncios.
- Anunciar para quem comprou determinado produto.
- Anunciar para quem visitou o seu carrinho e não finalizou a compra.
- Anunciar para quem gastou mais de X reais.
- Anunciar para quem passou mais de X minutos ou segundos no seu site.

E muito mais…

Onde posso buscar o Pixel e onde devo instalar?

Pegar o código do Pixel é simples. Basta ir até a sua conta de anúncios e clicar na opção Gerenciador de Eventos:

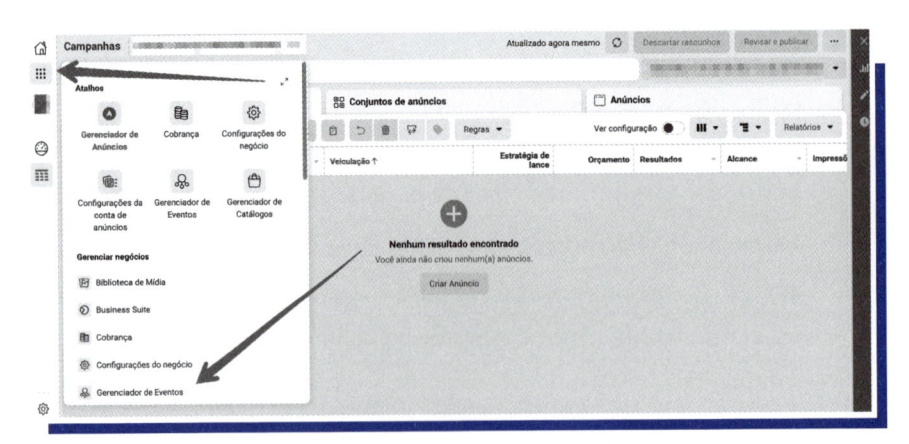

85. GERENCIADOR DE EVENTOS

Se você está criando o seu Pixel pela primeira vez, o Facebook vai pedir para Conectar uma fonte de dados. Ou seja, criar o seu Pixel.

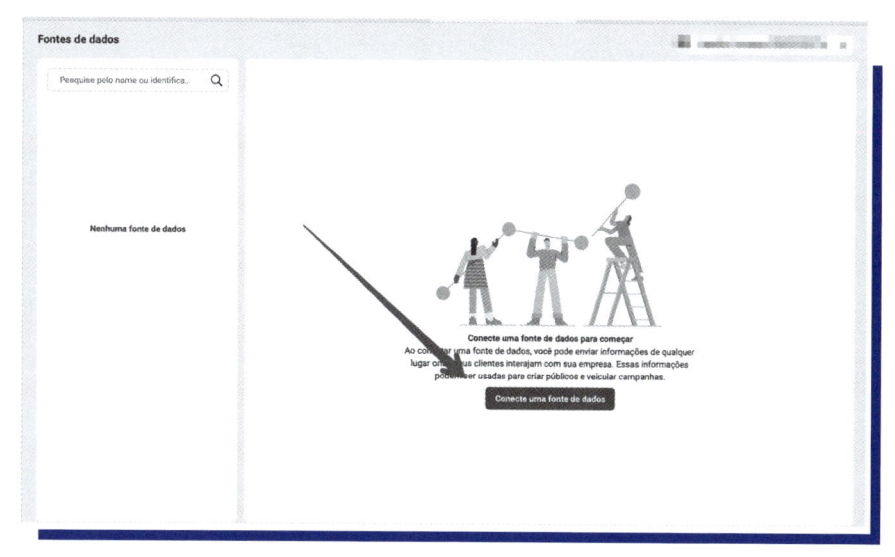

86. CONECTAR UMA FONTE DE DADOS

Selecione a opção Web:

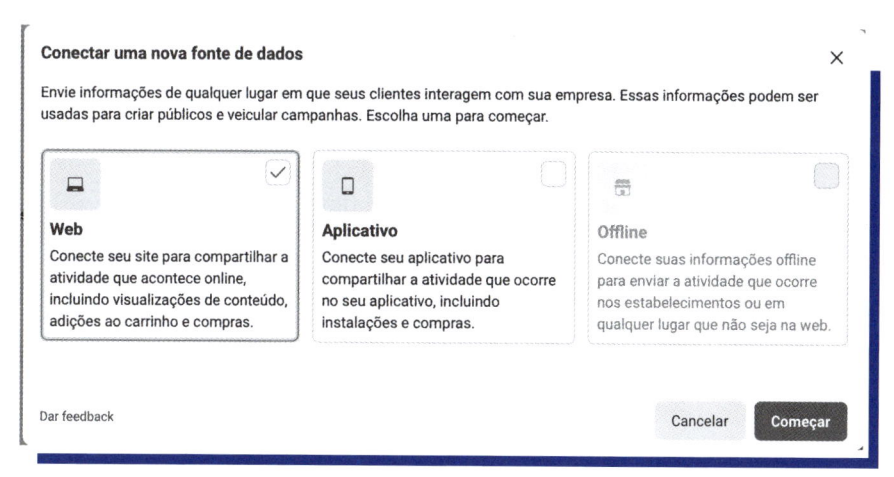

87. SELECIONAR A OPÇÃO WEB

Depois, Pixel do Facebook:

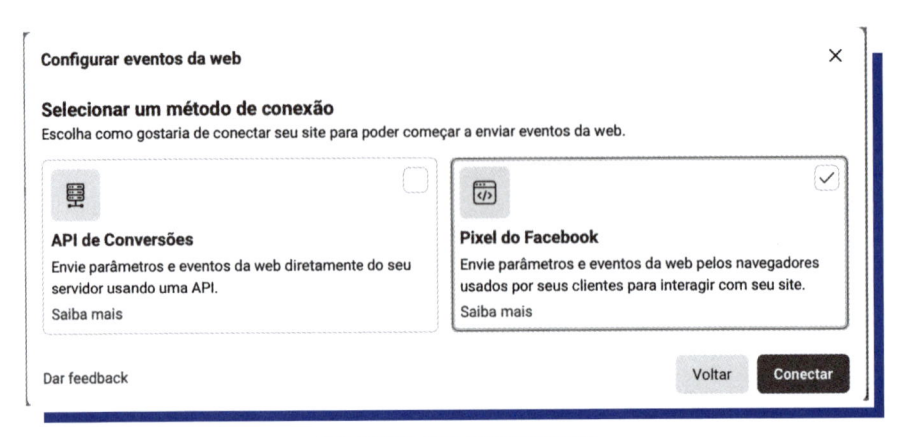

Configurar eventos da web

Selecionar um método de conexão
Escolha como gostaria de conectar seu site para poder começar a enviar eventos da web.

API de Conversões
Envie parâmetros e eventos da web diretamente do seu servidor usando uma API.
Saiba mais

Pixel do Facebook
Envie parâmetros e eventos da web pelos navegadores usados por seus clientes para interagir com seu site.
Saiba mais

Dar feedback — Voltar — Conectar

88. PIXEL DO FACEBOOK

Clique em Conectar. Agora:

- Dê um nome ao seu Pixel.
- Insira um URL (não é um passo obrigatório).
- Clique em continuar.

E pronto, seu Pixel está pronto! Agora chegou a hora de pegar o código do Pixel para inserir no seu site.

Para fazer isso, você precisa acessar nessa mesma página, clicar em Adicionar eventos e depois na opção De um novo site:

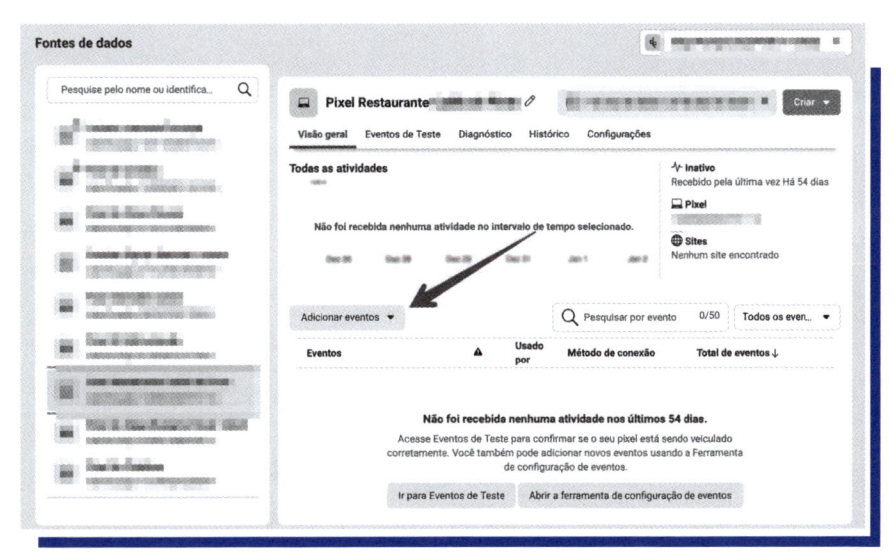

89. ADICIONAR EVENTOS DO PIXEL

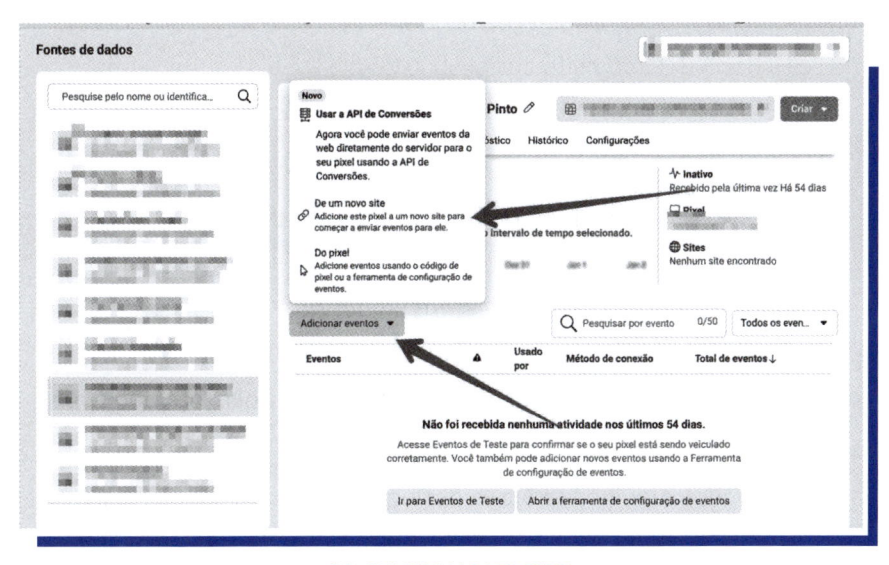

90. DE UM NOVO SITE

Selecione a opção Instalar o código manualmente:

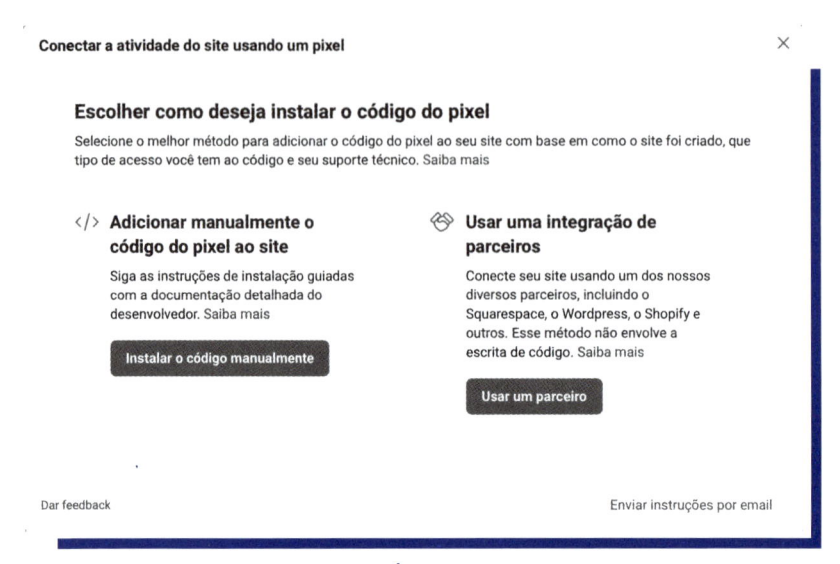

91. INSTALAR O CÓDIGO MANUALMENTE

Clique em Copiar código:

92. COPIAR CÓDIGO

Depois, basta inserir o código no seu site por cima da tag </head>. Se você usa alguma plataforma como o Wordpress, Shopify ou outra, uma rápida pesquisa no Google poderá auxiliar. Cada plataforma tem o seu próprio jeito de colocar o Pixel. Basta pesquisar *Nome da plataforma + Pixel do Facebook* que certamente encontrará algum tutorial.

Se não souber como fazer, recomendo que fale com um programador que ele saberá fazer isso em 30 segundos.

Depois de inserido o Pixel, o Facebook já começará a pegar dados de todas as pessoas que visitaram o seu site. Desta forma, você poderá criar anúncios com base nos seus visitantes (explicaremos como fazer isso mais à frente). Além disso, você também passará a conseguir mensurar as conversões que acontecem no seu site quando fizer anúncios.

Outro detalhe importante: recomendo que peça ao programador — ou a quem for inserir — que deixe o Pixel em todas as páginas do seu site. Caso não faça isso, algumas pessoas que visitarem o seu site não receberão os seus anúncios.

Ter uma pessoa no seu site e desperdiçar a oportunidade de segmentá-la nas redes sociais é claramente um desperdício de dinheiro. É o mesmo que capturar contatos e depois eliminá-los. Quem visitou o seu site é mais propenso a ter interesse nos produtos e serviços que você oferece.

Além disso, o Pixel do Facebook vai entendendo quem são as pessoas que cumprem o objetivo do seu anúncio (compra, lead ou qualquer outro) e começa a entregar o seu anúncio para pessoas parecidas com aquelas que já estão realizando o seu objetivo.

Resumindo: fazer anúncios para um site sem ter o Pixel do Facebook inserido é o mesmo que tentar jogar tênis de olhos fechados. Estará fazendo alguma coisa, mas não terá noção se está no caminho certo.

Dúvidas comuns sobre o Pixel

Devo colocar em todas as páginas do meu site?

Sim! Quanto mais dados tiver das pessoas, melhor será a performance dos seus anúncios.

Pago alguma coisa para ter o Pixel?

Não. Você vai pagar pelas suas campanhas no Facebook e Instagram.

Só devo usar o Pixel se estiver fazendo anúncios?

Não. O Pixel deve estar no seu site independentemente de fazer anúncios ou não nesse momento. Se você recebeu uma visita no seu site de alguém proveniente do Google, por exemplo, o Pixel marcará essa pessoa e depois você pode impactá-la com um anúncio de Facebook e Instagram. Não faz sentido não ter sempre o Pixel ativo no site.

O Pixel é só para quem tem site?

Sim! O Pixel não pode ser inserido no WhatsApp ou no Messenger, por exemplo. Se você tem site, Página de Captura ou Página de Vendas, o Pixel é para você.

Posso ter quantos Pixels quiser?

Depende das contas. Algumas permitem ter mais do que um Pixel, outras, não. É necessário ver caso a caso.

Posso instalar o Pixel no site do concorrente?

Seria bom, né? Você só consegue inserir o Pixel em sites que são seus, pois você precisa ter acesso ao código do site para conseguir inserir o Pixel.

Como sei que o Pixel está bem inserido no meu site?

Use a extensão Facebook Pixel Helper para o Google Chrome. Com ela você conseguirá ver se qualquer site tem o Pixel bem instalado ou não.

10
PÚBLICO PERSONALIZADO: O QUE É?

Como vimos até aqui, o forte do Facebook é a sua inteligência de dados. Quanto mais dados dos usuários as redes sociais tiverem, melhores serão os resultados dos anunciantes. Mas o que você vai ver agora é ainda mais poderoso. Na parte do público personalizado vou mostrar como o Facebook e o Instagram usam o seu conteúdo e a sua captura de dados para dar ainda mais resultados para os seus anúncios.

O que você viu até aqui é apenas a ponta do iceberg no mundo do Facebook. O verdadeiro pote de ouro dos seus anúncios está no que vou ensinar agora.

PÚBLICO PERSONALIZADO: O QUE É?

Quando você atua com a segmentação de interesses, está operando, na maioria das vezes, com usuários que não conhecem o seu trabalho. E esse é um público extremamente amplo. No entanto, ele é mais difícil de se converter em cliente, pois tendemos a comprar de quem conhecemos.

Já os públicos personalizados estão relacionados com pessoas que, de alguma forma, já conhecem a sua marca ou já interagiram com ela. Criando os públicos personalizados, depois poderá anunciar para eles.

Estes são alguns dos públicos mais usados:

- **Lista de clientes:** com esta opção, você sobe a sua lista de emails ou números de telefone para o Facebook. Depois, ele permite que crie campanhas para as pessoas desse público.

- **Site:** também conhecida como *retargeting*, esta opção permite que anuncie para as pessoas que visitaram o seu site ou determinadas páginas do seu site. Esta funcionalidade é extremamente poderosa.
- **Atividade em aplicativos:** esta é a possibilidade menos usada, pois está diretamente ligada a aplicativos. Com ela você pode anunciar para pessoas que estão utilizando um aplicativo seu.
- **Vídeo:** com esta opção você vai criar um público que viu os seus vídeos, tanto no Facebook e Instagram. Você consegue criar públicos que viram vídeos específicos e tempos específicos. Pode, por exemplo, criar um público de quem viu mais de 50% do seu último vídeo ou dos seus últimos dez vídeos.
- **Conta do Instagram:** usa muito o Instagram e tem muita interação nos seus posts? Então esta opção é para você! Com ela, você pode criar públicos com base nas pessoas que interagiram com a sua conta do Instagram, criando posteriormente campanhas para elas.
- **Página do Facebook:** igual à opção anterior, só que desta vez para a página do Facebook.
- **Formulário de Cadastro:** lembra de termos falado do objetivo de cadastro lá atrás, quando falamos dos objetivos das campanhas? Se criar campanhas com esse objetivo, depois pode criar públicos e anunciar para quem abriu o seu formulário e não se inscreveu ou então para quem se inscreveu nele.
- **Eventos:** se você faz eventos no Facebook, pode criar públicos de quem *confirmou a presença* no evento ou de quem disse que *talvez vá* e anunciar para eles.

Mas, Luciano, como crio esses públicos?

O primeiro passo é ir até a sua conta de anúncios e selecionar a opção Públicos:

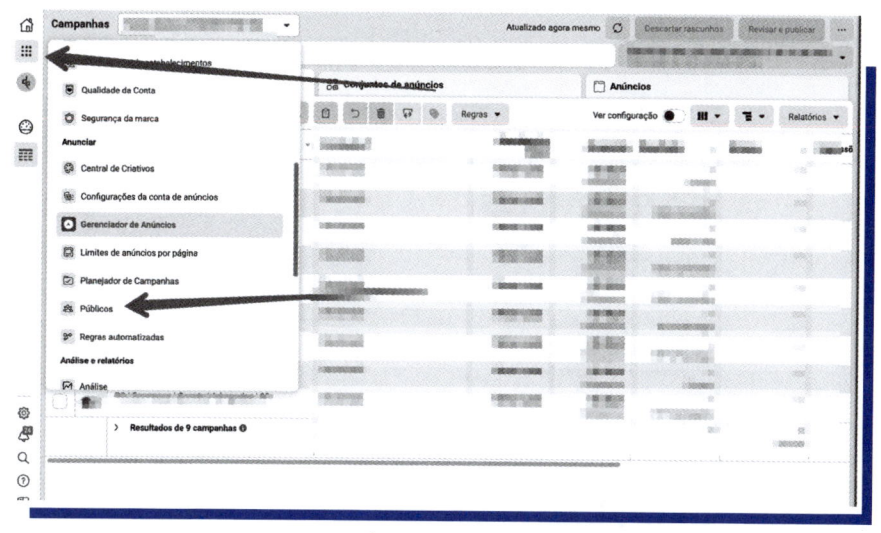

93. CRIAR PÚBLICO PERSONALIZADO

Depois você verá várias opções. Falaremos sobre todas elas ao longo deste livro. Já selecione a opção Públicos personalizados:

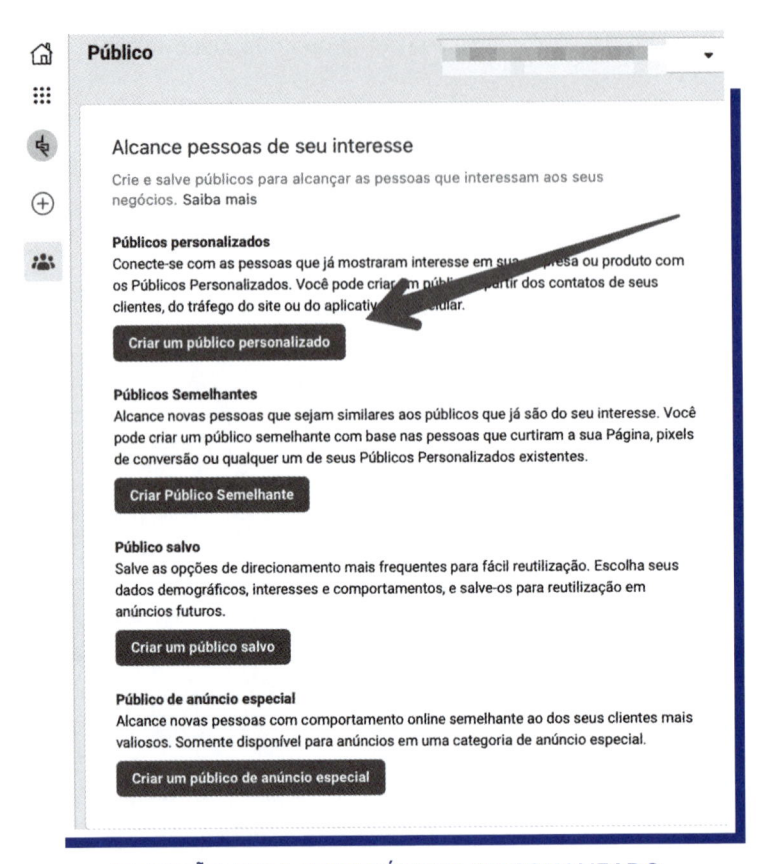

94. BOTÃO PARA CRIAR PÚBLICO PERSONALIZADO

Agora aparecerão todas as opções que expliquei anteriormente:

95. OPÇÕES DE PÚBLICO PERSONALIZADO

Para criar cada um dos públicos basta clicar na opção e depois seguir os passos. Vamos fazer, em conjunto, a opção Conta do Instagram para você ver como funciona. Após clicar no botão Conta do Instagram, você verá uma imagem como esta:

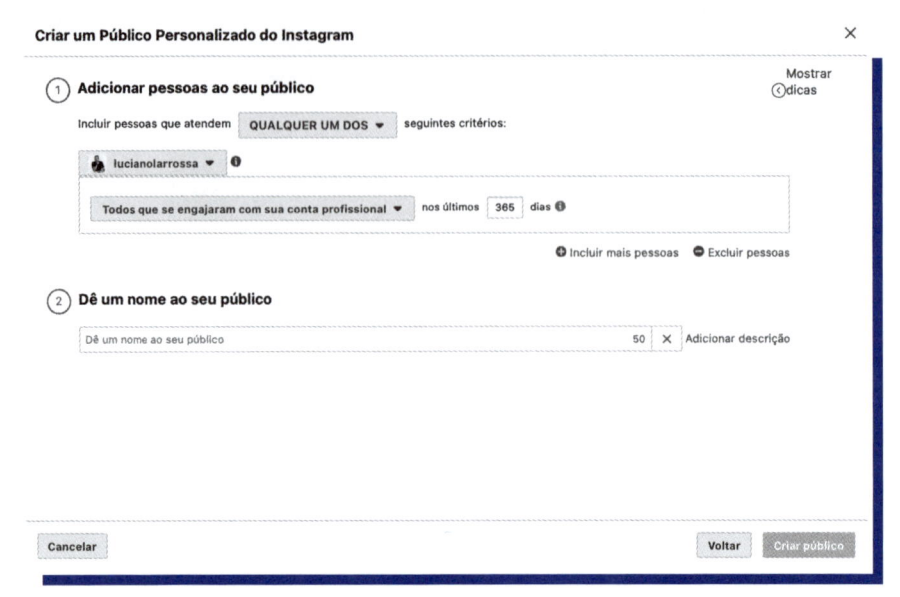

96. CRIAR PÚBLICO PERSONALIZADO DO INSTAGRAM

A primeira opção que precisa levar em consideração é esta daqui:

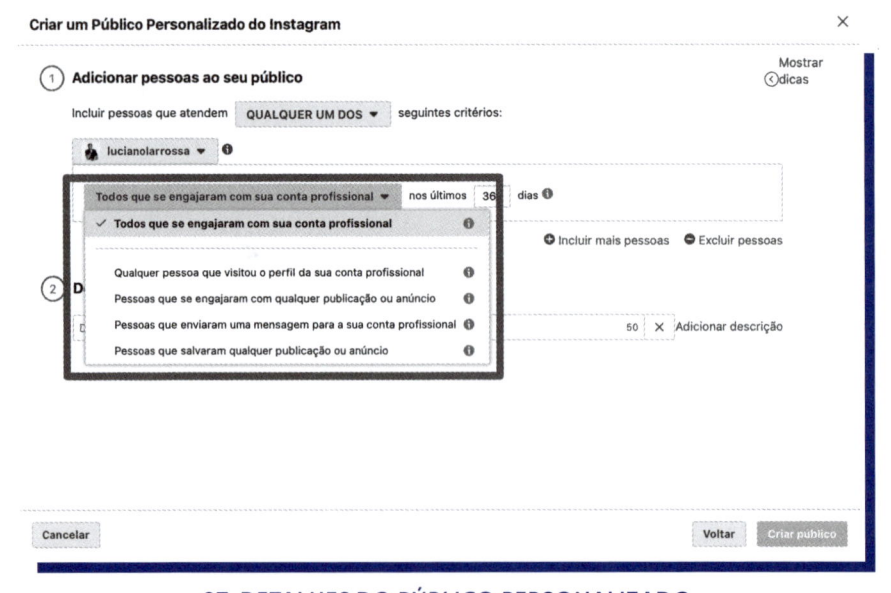

97. DETALHES DO PÚBLICO PERSONALIZADO

Você pode criar um público de todas as pessoas que interagiram no seu Instagram, mas também pode ser mais específico, como:

- Qualquer pessoa que visitou o seu perfil.
- Pessoas que engajaram com qualquer publicação ou anúncio.
- Pessoas que enviaram mensagem.
- Pessoas que salvaram qualquer publicação.

Luciano, qual devo selecionar?

A não ser que você tenha um público enorme no Instagram e faça sentido você ser mais específico(a), eu optaria por selecionar a opção *Todos os que engajaram o Instagram*. Eu, no meu próprio perfil, anuncio sempre para todos os que engajaram.

Outro detalhe que você precisa levar em consideração é o tempo desse público.

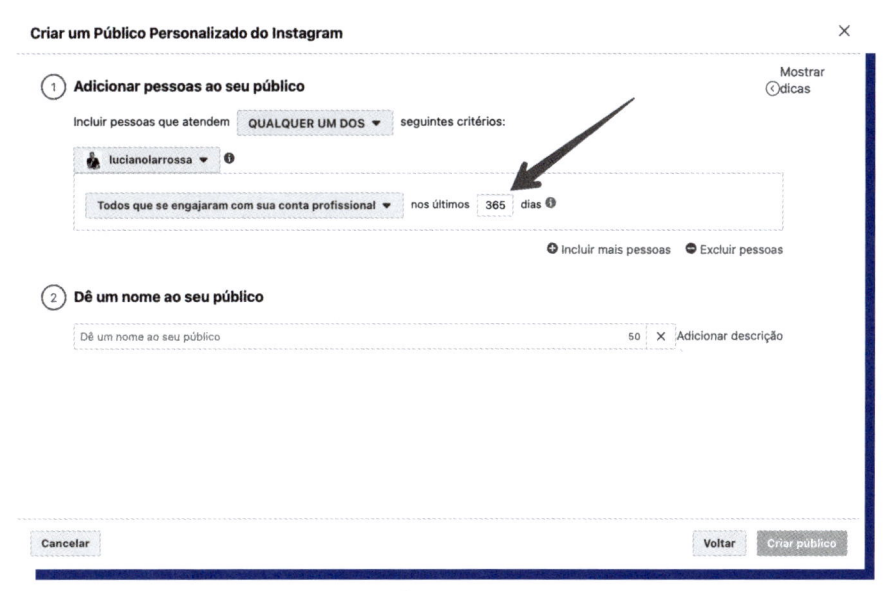

98. TEMPO DO PÚBLICO PERSONALIZADO

No caso do público do Instagram, você consegue criar um público de todas as pessoas que interagiram nos últimos 365 dias, ou seja, todos os que interagiram com a sua conta no último ano estarão dentro desse público. Porém, não recomendo que use a opção de 365 dias. Um ano é muito tempo e, provavelmente, muitos dos que interagiram com a sua marca já nem se lembram dela.

Para investir melhor o seu dinheiro, recomendo que trabalhe com um público do tamanho de 30 a 90 dias. Menos do que 30 dias tende a ser pouco e mais de 90 começa a ser demais. Obviamente existem exceções, mas, se tivesse que definir um valor fixo, recomendaria estes.

O passo seguinte é definir o nome do seu Público.

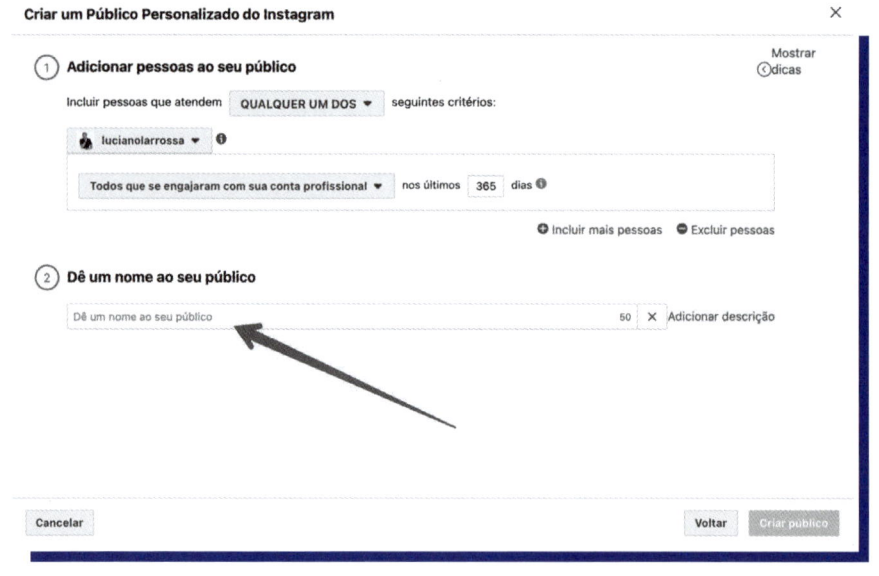

99. DEFINIR NOME DO PÚBLICO

Esse nome ficará apenas para identificação interna, mas ele é extremamente importante, pois você precisará encontrar esse público daqui a pouco. Por isso, precisa ser um nome que você consiga olhar e entender o que significa.

Internamente, usamos nomes específicos para os nossos públicos personalizados. Vou colocar, a seguir, tanto para os públicos personalizados do Instagram como para os restantes. Sinta-se à vontade para copiar a nossa estrutura de nome de públicos:

- **EGJ IG 30D** - Engajados Instagram 30 Dias
- **EGJ FB 30D** - Engajados Facebook 30 Dias
- **VV 30D** - Visualizaram Vídeo 30 Dias
- **Visitantes Site 30D** - Todos os que visitaram o meu site nos últimos 30 dias
- **Leads** - Para todos os que estão na nossa lista de email

Então, neste caso, ficaria assim a criação do nosso público do Instagram:

100. RESULTADO FINAL DO PÚBLICO

Agora é só clicar em Criar público e ele será criado.

Luciano, quantos públicos devo criar?

Recomendo que crie, pelo menos, um público para:

- Os que engajaram no Instagram (30 dias)
- Os que engajaram no Facebook (30 dias)
- Os visitantes do site (caso tenha, 30 dias)
- Os que visualizaram vídeos (30 dias)
- Todos os inscritos na sua lista de email e telefones (caso tenha)

Antes de avançarmos com o passo a passo sobre como usar todos esses públicos, acho importante esclarecer alguns detalhes e dúvidas que costumam surgir sobre os públicos personalizados.

Como o Facebook e o Instagram conseguem anunciar para quem está na minha lista de emails?

É muito simples. Cada usuário do Facebook tem o seu próprio login, com email e número de telefone. Se inserir essa sua base de dados para o Facebook e o Instagram, ele faz a ligação entre os dados que carregou e a base de usuários do Facebook. Depois disso, os emails e os telefones que corresponderem geram um público para o qual é possível fazer anúncios.

> *Exemplo: Vamos imaginar que o meu email **luciano@hotmail.com** está na sua base de dados. E imaginemos, também, que eu faço login com a minha conta do Facebook com o mesmo email. Quando um anunciante inserir o meu email, que está na sua base de dados, no Facebook, ele vai fazer a ligação com o meu email de usuário e inserir-me nesse público.*

Porém, existe um detalhe: só vão entrar para o público aqueles emails que o Facebook conseguiu identificar como pertencentes aos usuários. Pela minha experiência, 70% dos emails costumam ser identificados. Ou seja, numa lista de mil emails, é provável que o seu público fique com o tamanho de uns 700.

Como o Facebook sabe quem visitou o meu site?

Como já vimos neste livro, o Pixel é o responsável por esse trabalho. Ao visitar o seu site, o Pixel identifica quem foi esse usuário do Facebook e Instagram e com isso ele entra para o seu público personalizado. Depois, basta criar uma campanha para ele.

A imagem a seguir representa muito bem como funciona todo o processo na prática:

101. ANÚNCIO PARA QUEM VISITOU O SITE

Um bom teste que você pode fazer para verificar como é a experiência do usuário é visitar sites de viagens ou de reserva de hotéis. Verá que, poucos minutos depois, na sua conta do Facebook vai ter vários anúncios relacionados com esses temas.

Antes de terminar este ponto, eu gostaria de alertá-lo para um pormenor que certamente aumentará as suas vendas com esse tipo de anúncio. Não se esqueça de que um usuário que recebe esse tipo de anúncio está numa fase de compra diferente. Por esse motivo, a comunicação com ele deve ser mais personalizada e diferente da comunicação que é realizada para aqueles que não conhecem a sua empresa. Repare nas duas imagens usadas em anúncios que estão logo a seguir:

102. EXEMPLO DE ANÚNCIO

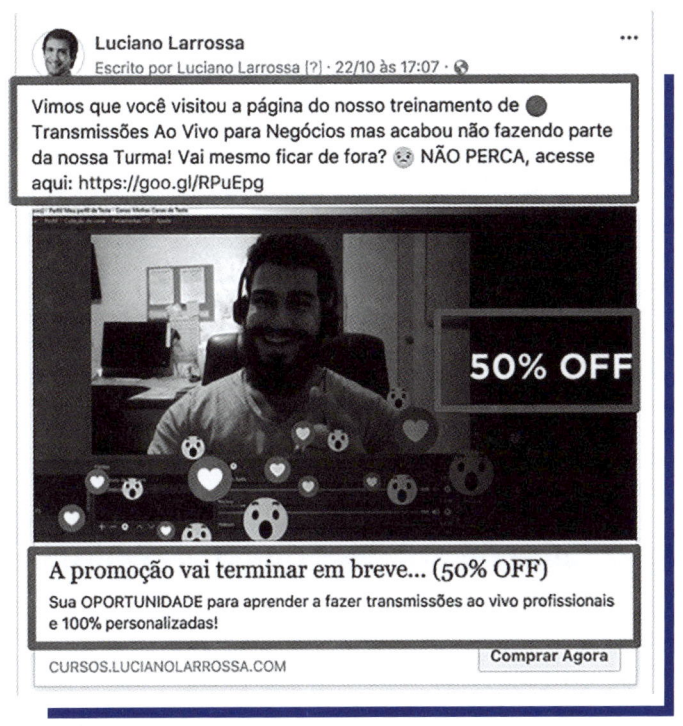

103. EXEMPLO DE ANÚNCIO DE QUEM VISITOU A PÁGINA

Reparou nas diferenças? Na primeira imagem anunciamos as vantagens do nosso curso. Na outra, já personalizamos a mensagem com a frase *Vimos que visitou a nossa página...* e *Vai mesmo ficar de fora?*. Clientes em fases diferentes de compra exigem abordagens diferentes. Obviamente, a primeira imagem tinha como objetivo angariar pessoas interessadas mas que não conheciam o curso, enquanto a segunda pretendia converter em clientes as pessoas que já tinham demonstrado interesse.

Lembre-se: para momentos de compra diferentes, comunicações diferentes.

O público personalizado se renova automaticamente?

Sim, todos se renovam com exceção de um deles. O seu público do Instagram de 30 dias, por exemplo, leva sempre em consideração os últimos 30 dias. No dia 31, os usuários que estavam no dia 1 *desaparecem* desse público. O mesmo acontece para os públicos do Facebook, visualizações de vídeo ou visitantes do site.

O único que não se renova automaticamente é da lista de email marketing. Se você subiu mil emails, o público terá sempre mil emails. Porém, poderá sempre editar esse público e inserir mais emails.

Existe um limite de públicos que posso criar?

Não. Você pode criar quantos públicos personalizados quiser.

COMO CRIAR UMA CAMPANHA PARA UM PÚBLICO PERSONALIZADO

Depois de criar os seus públicos você pode começar a usá-los nos seus anúncios. Para isso, na parte da segmentação da campanha, precisa selecionar a opção Público Personalizado. Veja:

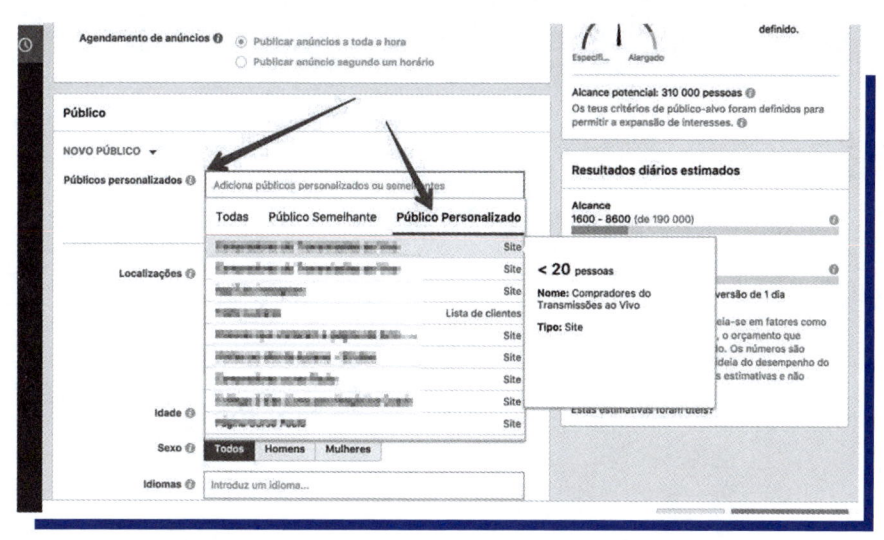

104. CRIAR A CAMPANHA PARA O PÚBLICO PERSONALIZADO

Quando fizer isso, tenha atenção a um detalhe importante. Se usar o seu público personalizado e uma segmentação de interesses, estes estarão dentro desse público. Vamos a um exemplo:

Imagine que você pretende anunciar para as pessoas que interagiram com você no Facebook selecionando o público personalizado correspondente. E, na parte dos interesses, insere Marketing, por exemplo. O que está pedindo ao Facebook é que segmente para as pessoas que fazem parte daquele público personalizado E QUE têm interesse em marketing.

Desta forma, se tiver um público personalizado muito pequeno e ainda for segmentá-lo por interesses, ele se tornará muito reduzido. Tenha cuidado com isso. Por vezes, é melhor criar uma campanha para públicos personalizados e outra para interesses.

11
PÚBLICO SEMELHANTE: O QUE É?

O público personalizado é uma opção interessante. No entanto, tem uma limitação: o número de pessoas que ele consegue alcançar. Se a sua base de dados for de 10 mil emails, os seus anúncios só vão atingir esses 10 mil contatos. E depois disso? Terá que voltar a anunciar baseado em interesses? Não, ainda não.

Isso porque o Facebook tem uma opção denominada Público Semelhante. O que esta opção faz é expandir os públicos que já têm e procurar usuários com características semelhantes às existentes nos seus públicos já criados. Desta forma, o Facebook cria um segundo público baseado nas características do anterior.

Exemplo: Imaginemos que vende raquetes de tênis e que tem uma base de dados de emails de pessoas que já compraram raquetes de tênis na sua loja. Em seguida, carregue essa base de dados para o Facebook. Depois disso, o Facebook faz o match entre a base que carregou da sua loja e os usuários do Facebook e Instagram. Após esse match, o Facebook faz uma análise sobre o perfil de usuários da base de emails da sua loja. Vai entender quem são eles, o que gostam etc. No caso da loja para raquetes de tênis, ele verificará que, muito provavelmente, grande parte dos usuários dessa base gosta de jogadores de tênis e de marcas de raquetes de tênis. Após verificar isso, o Facebook vai procurar dentro da sua base de usuários outros milhares de usuários que tenham interesses semelhantes. A partir disso, cria o seu segundo público.

Vamos ver como funciona na prática.

Você terá que acessar novamente a opção dos públicos, mas desta vez selecionar a opção Público Semelhante.

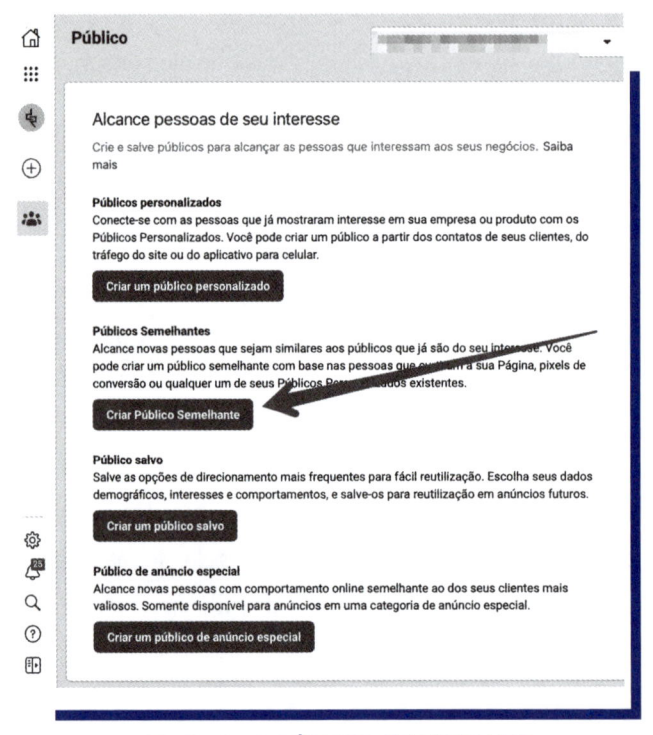

105. CRIAR O PÚBLICO SEMELHANTE

Em seguida, o Facebook perguntará qual será a origem e qual o país de origem desse público semelhante.

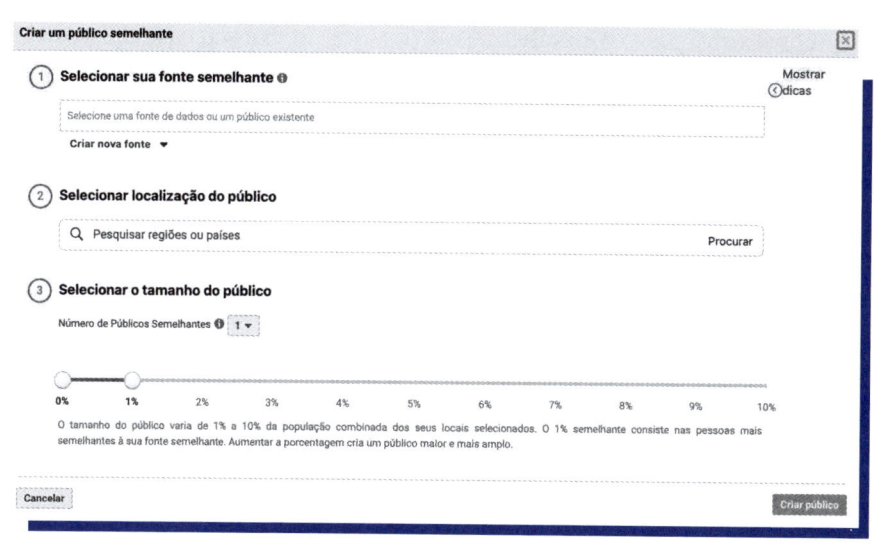

106. DETALHES DO PÚBLICO SEMELHANTE

A origem pode ser um público personalizado ou até mesmo uma página do Facebook, como mostra a seguir:

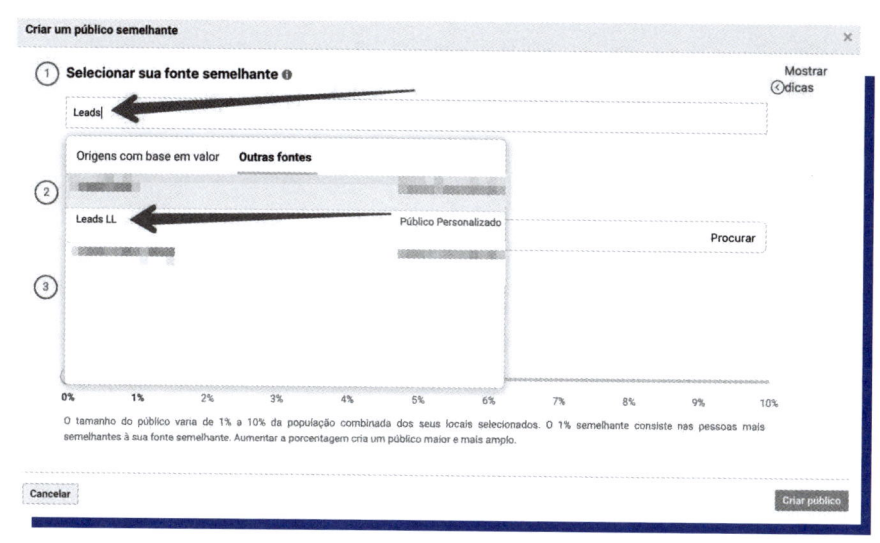

107. FONTE DO PÚBLICO SEMELHANTE

O próximo passo é escolher o país ou a região. No seu caso só precisa selecionar o país para onde vende, mesmo que você seja um negócio local. Mais à frente explicarei como segmentar localmente. Para já, vamos continuar com a criação do nosso público...

Depois de escolhida a fonte e o país, o Facebook sugere sempre um tamanho possível para esse público. Normalmente esse valor varia entre 1 milhão e 10 milhões, se falarmos em países grandes como o Brasil. Se falarmos em países menores, como Portugal, esse valor pode variar entre 60 mil e 600 mil.

A seguir, repare como o Facebook pede que selecione uma opção de escala que vai de 1% até 10%:

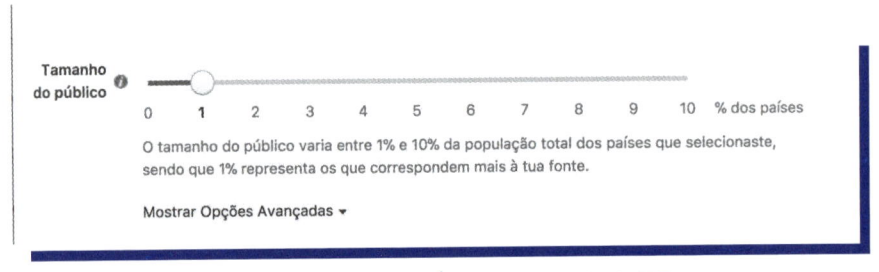

108. EXEMPLO DO PÚBLICO SEMELHANTE

O que o público semelhante faz é buscar pessoas parecidas com aquelas que você selecionou como fonte inicial. Se eu criar um público semelhante das pessoas que curtiram a minha página, o Facebook vai procurar pessoas parecidas com os meus fãs. No entanto, a opção acima do tamanho do público tem um papel importante aqui. Quanto mais próximo do 1% estiver, mais parecido com a fonte original este público vai ser. Quanto mais próximo dos 10%, menos parecido ele vai ser.

Um exemplo: se selecionar 1% na criação do seu público, o Facebook vai criar um público com o tamanho de 1,4 milhão, pois isso corresponde a 1% de todos os usuários de Facebook e Instagram no Brasil (140 milhões de pessoas usam essas duas redes sociais no Brasil).

Agora basta clicar em Criar Público e o Facebook começa a criar um novo público. Por norma, essa criação demora sempre alguns minutos. Se entrar no seu painel de públicos, verá algo deste gênero:

109. RESULTADO FINAL DO PÚBLICO SEMELHANTE

Repare em alguns detalhes interessantes. Em primeiro lugar que, por padrão, o Facebook dá o nome ao seu público de *semelhante*, seguido do nome do país do público e a percentagem de proximidade. Outro detalhe é que ele informa se o seu público está pronto ou não. Por norma, o público ficará com um círculo vermelho durante alguns minutos. Quando esse círculo ficar verde, é sinal de que o público está pronto para ser usado, como mostramos na imagem.

Agora você pode criar quantos públicos semelhantes quiser na sua conta. Recomendo que, para cada público personalizado, tenha também um público semelhante.

Para entender um pouco melhor sobre o público semelhante, vamos falar logo a seguir sobre algumas dúvidas comuns:

Como anunciar para o público semelhante?

O processo para anunciar para o público semelhante é o mesmo que mostramos para o público personalizado. Basta selecionar o público e, a partir daí, apresentar anúncios para ele. Lembrando que, se usar os interesses, ele vai afunilar o seu público que está presente no público semelhante.

E se eu for um negócio local, como faço?

Se este for o seu caso, você precisa selecionar o seu país na hora de criar o público semelhante. Depois, quando for criar a campanha, insira a sua cidade na segmentação. Desta forma, o Facebook vai pegar todos os que estão no público semelhante e que estão ou vivem naquela cidade.

Imagine que tem um negócio local em Campinas e quer usar um público semelhante. A sua campanha ficaria desta forma:

110. PÚBLICO SEMELHANTE

O meu público semelhante é alterado?

Sim! As pessoas que estão no seu público semelhante são alteradas conforme o público personalizado é modificado. Se você criou um público semelhante proveniente de um personalizado de visitas ao site, por exemplo, o site sempre receberá novas visitas e, por isso, o seu público semelhante também será sempre modificado.

Qual o tamanho mínimo do público de origem?

Segundo o Facebook, o tamanho mínimo do público de origem é de 100 pessoas. Ou seja: se você tiver um público personalizado de engajados no Instagram de 100 pessoas, já poderá criar um público semelhante. Porém, é importante alertar que, quanto maior o público de origem, mais eficiente é o público semelhante.

Vale a pena criar públicos semelhantes de valor maior de 1%?

Sim! Porém, esses públicos maiores só são interessantes de usar quando você investe tanto a ponto do seu público semelhante de 1% se esgotar.

Qual a melhor fonte de origem para um público semelhante?

O público de origem mais eficaz é o personalizado de compradores, porque, afinal de contas, você quer encontrar pessoas parecidas com aquelas que já compram seus produtos. Crie esse público mediante a sua lista de emails, telefones ou colocando o Pixel na Página de Obrigado pela Compra.

12
PÚBLICO SALVO E O CONCEITO DE PÚBLICO FRIO, MORNO E QUENTE

Sobre a parte da segmentação, existem ainda duas coisas importantes que ajudarão bastante os seus anúncios. A primeira delas é uma funcionalidade bastante interessante que o Facebook tem e que, certamente, ajudará você a poupar muito tempo na hora de criar seus anúncios. Estou falando do público salvo.

O público salvo é uma funcionalidade do Facebook que permite que você guarde públicos. Se for daquelas pessoas que usam constantemente o mesmo público, o público salvo vai permitir que segmente o seu anúncio em apenas alguns segundos.

O passo a passo para fazer isso é bem simples. Primeiro você precisa criar o seu público. Volte à parte Públicos e clique em Público salvo:

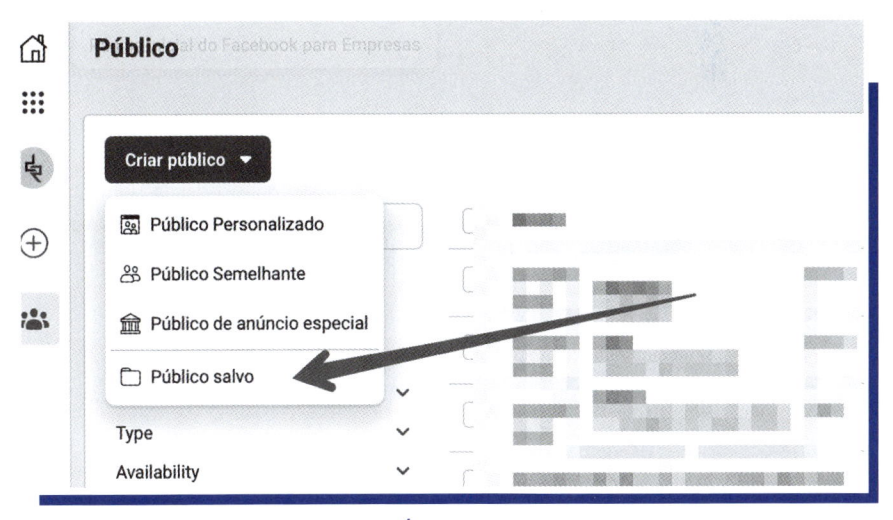

111. PÚBLICO SALVO

Depois, crie uma segmentação que ache que faz sentido para o seu produto. Depois salve esse público.

Agora, na hora de criar uma campanha, basta selecioná-lo que o Facebook puxará todos os dados. Para selecionar ele, acesse:

112. SELECIONAR O PÚBLICO SALVO

E pronto, agora basta seguir os passos normais da criação de um anúncio.

Agora, quero falar com você sobre o conceito de público frio, morno e quente. Para entender melhor esse conceito, vamos fazer uma analogia com uma escola de balé. Imagine que você tem uma escola de balé. Existem três tipos de público que pode explorar para essa escola:

- Aqueles que não sabem que você existe e não têm ideia de que precisam frequentar a escola de balé.
- Aqueles que não sabem que você existe mas já demonstraram algum gosto pelo balé e que já têm em mente que deviam se inscrever numa escola de balé, só ainda não sabem qual nem como.
- Aqueles que já tiveram algum contato com a sua escola mas ainda não são seus clientes.

E para esses três tipos de públicos existem tipos de segmentação que você poderá fazer. Repare que os três exemplos que dei são, pela mesma ordem, o público frio, morno e quente.

A grande questão é: como você chega até eles nos anúncios de Facebook e Instagram? Usando as segmentações que usei até aqui:

- Para o público frio, use os interesses.
- Para o público morno, trabalhe com públicos semelhantes.
- Para público quente, trabalhe com públicos personalizados.

Grande parte do seu dinheiro virá do seu público quente, pois é muito mais barato conseguir fazer vendas para quem já conhece a sua marca do que para quem nunca ouviu falar de você.

O problema é que muitos anunciantes ignoram os públicos quentes! Pensam que o ouro dos anúncios está nos públicos frios quando, na verdade, é dos quentes que virão os grandes resultados.

Se você está começando um negócio, é bem provável que ainda não tenha público quente e aí não há muito que fazer. Mas, se você tem um negócio há algum tempo ou pelo menos tem uma audiência, explore rapidamente os seus públicos quentes e mornos. Não se arrependerá!

No entanto, quero deixar aqui um adendo para não ser mal compreendido. Não estou dizendo para não trabalhar com públicos frios. Eu mesmo trabalho com públicos frios diariamente. O que estou dizendo é que você não deve ignorar os quentes nem os mornos. Por isso, o seu orçamento mensal para anúncios deve ser sempre dividido entre anunciar para públicos quentes, mornos e frios.

Veja um exemplo de campanhas que faço para a venda deste livro. Diariamente invisto cerca de R$ 150,00 para venda do livro. Isso dá um total de R$ 4.500,00 mensais. Nesses 150 diários, as minhas campanhas ficam divididas da seguinte forma:

- R$ 50,00 para público frio.
- R$ 50,00 para público morno.
- R$ 30,00 para todos os que se envolveram com as minhas redes sociais (quente).
- R$ 20,00 para quem visitou a Página de Vendas mas não comprou (quente).

Ou seja, são quatro campanhas distintas para venda do livro. Se o seu orçamento for mais curto — R$ 20,00 por dia, por exemplo —, você pode optar por ter apenas duas campanhas: uma para frio e uma para quente. Não existem fórmulas prontas, só uma recomendação: explore os públicos de várias temperaturas. Não vai se arrepender.

13
CONVERSÕES
PERSONALIZADAS

Nota: Se você tem um site, uma Página de Captura ou uma Página de Vendas, este capítulo é para você e é obrigatório. Se você tem nem pretende ter, pode pular e ir para o seguinte.

Lembra que o Pixel serve para mensurar e otimizar as suas campanhas? Mas, para ele conseguir fazer isso, você precisa criar conversões personalizadas. Elas permitem que o Facebook saiba qual o grande objetivo da sua campanha e otimize seus resultados para que consiga um melhor retorno.

Vamos a um exemplo prático para tudo ficar mais claro. Todas as terças-feiras dou aulas no meu YouTube. E preciso angariar pessoas para assistirem a essas minhas aulas. Para fazer a angariação dessas pessoas, eu faço anúncios para esta página: **https://cursos.lucianolarrossa.com/aula-aovivo/**. Esta também é conhecida como uma Página de Captura, caso pretenda se aprofundar no assunto. Nela, os usuários podem se inscrever para serem avisados de novas aulas.

Depois que pessoas realizam a inscrição, elas são direcionadas para esta página: **https://cursos.lucianolarrossa.com/aula-aovivo-obrigado/**. Esta é conhecida como a Página de Obrigado.

Recapitulando: os passos para as pessoas se inscreverem são estes:

Clique no anúncio > Página de Captura > Página de Obrigado

Cada vez que alguém chega na minha Página de Obrigado, acontece aquilo que na internet chamamos de conversão. Veja alguns exemplos de conversão:

- Cada vez que você compra um produto num e-commerce, acontece uma conversão.
- Cada vez que você baixa um ebook, acontece uma conversão.
- Cada vez que se inscreve numa aula ao vivo, acontece uma conversão.

Entendeu a lógica? O motivo de explicar tudo isso é que, cada vez que você fizer no Facebook e Instagram uma campanha de vendas de um produto ou uma campanha para angariar contatos num site, precisará obrigatoriamente de cinco coisas:

1. Uma Página de Captura (no caso de capturar contatos) ou uma Página de Vendas/E-commerce (no caso de vender produtos).
2. Uma Página de Obrigado para confirmar a compra ou a inscrição.
3. O Pixel instalado em ambas as páginas.
4. Uma conversão personalizada, para você sinalizar ao Facebook o que pretende com essa campanha.
5. Criar a campanha.

Supondo que você já cumpriu os três primeiros passos, vamos agora para os dois últimos. Para criar a sua conversão personalizada você precisa ir ao Gerenciador de Eventos:

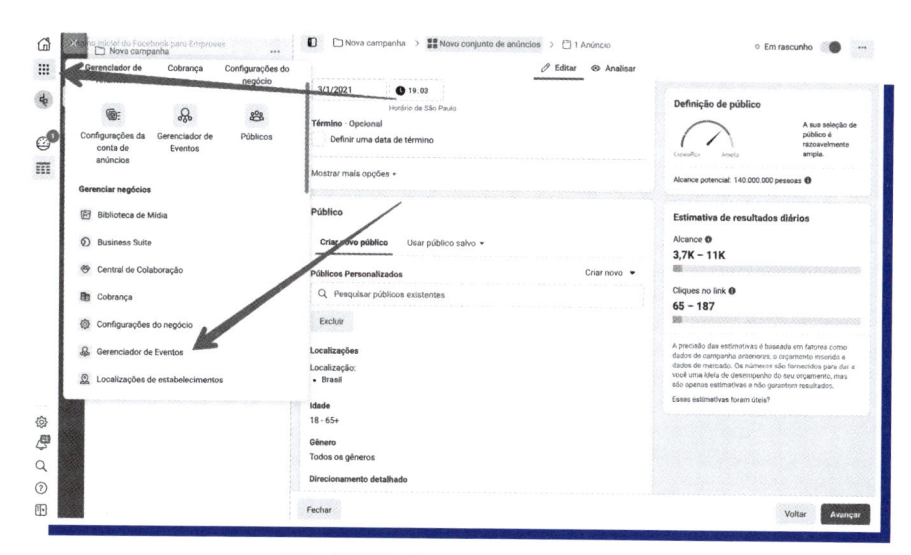

113. GERENCIADOR DE EVENTOS

Depois, selecione Conversões personalizadas:

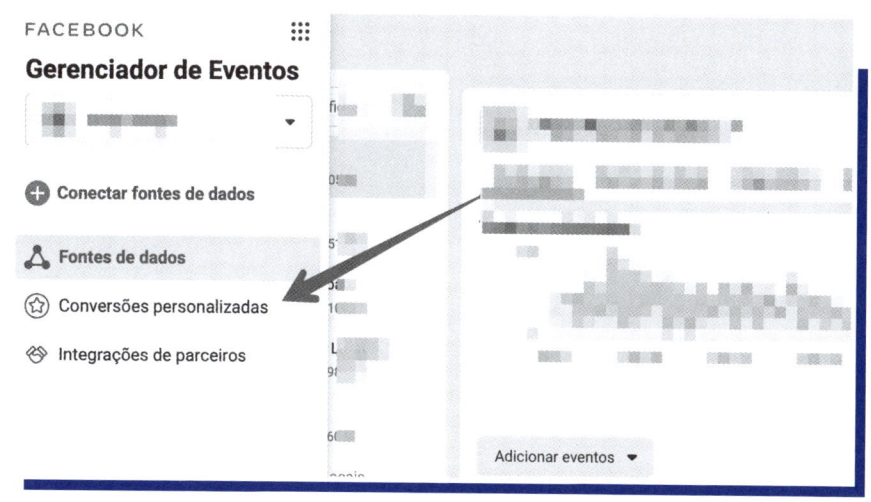

114. SELECIONAR AS CONVERSÕES PERSONALIZADAS

Clique no botão Criar conversão personalizada:

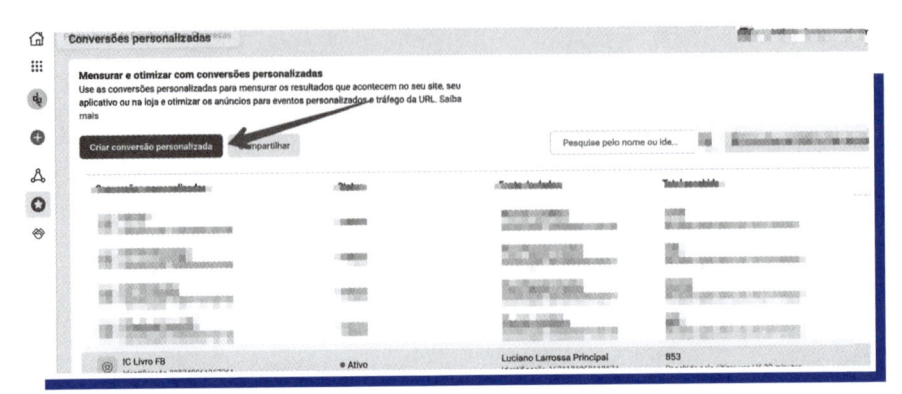

115. BOTÕES DE CONVERSÕES PERSONALIZADAS

Agora chegou a hora de preencher a sua conversão personalizada:

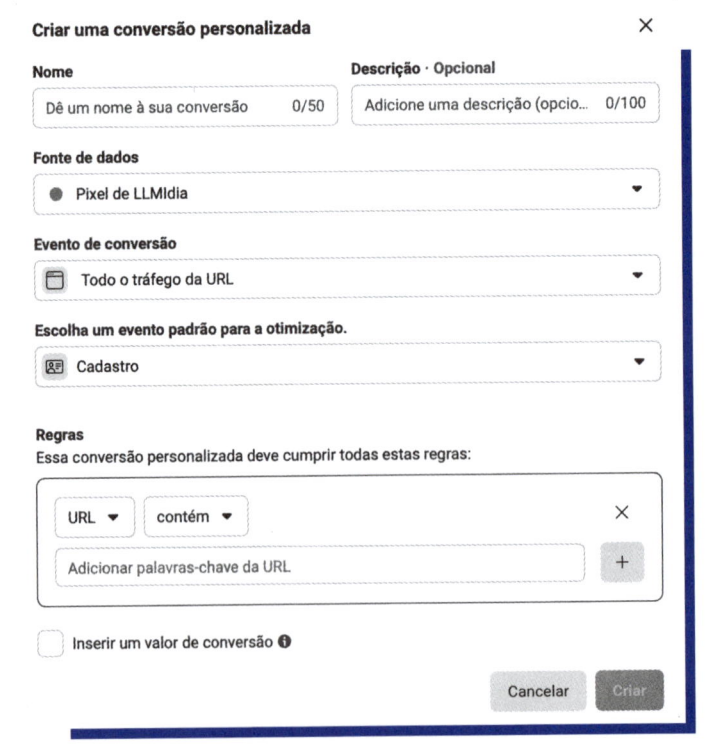

116. PREENCHER A CONVERSÃO

Veja o que é necessário em cada um dos pontos:

- **Nome:** insira o nome da sua conversão. É apenas para identificação interna.
- **Fonte de dados:** garanta que tem o seu Pixel selecionado nessa fonte de dados.
- **Evento de conversão:** deixe o que está como padrão.
- **Escolha um evento-padrão para a otimização:** aí você vai selecionar aquele que tem alguma ligação com a sua conversão. Se for capturar leads, selecione Cadastro; se for compra, selecione Compra; se for adicionar ao carrinho, selecione Adicionar ao Carrinho; e por aí vai.
- **URL:** aqui você vai colocar o URL da sua Página de Obrigado. No meu caso seria: **https://cursos.lucianolarrossa.com/aula-aovivo-obrigado/**
- **Inserir um valor de conversão:** aqui você insere um valor apenas se for uma conversão de compra. Se esse for um dos casos, você coloca o valor do produto. No meu caso não faz sentido inserir ele pois é a inscrição numa aula gratuita.

Pronto! Sua conversão personalizada está criada. Agora você precisa criar uma campanha. No meu caso, vou precisar criar uma campanha para angariar interessados nas minhas aulas de terça-feira.

Para fazer isso eu faço uma campanha com o objetivo Conversões. E aqui deixo já um alerta importante: se você quer capturar contatos ou vender produtos por meio de um site, o objetivo Conversões é, em 99% dos casos, o mais indicado!

Imaginando que já selecionou ele, a única coisa diferente que preciso fazer é dizer para o Facebook que, nesta campanha, o meu objetivo é que as pessoas cheguem na minha conversão personalizada. Para isso, na parte do conjunto de anúncios, preciso selecionar estas opções:

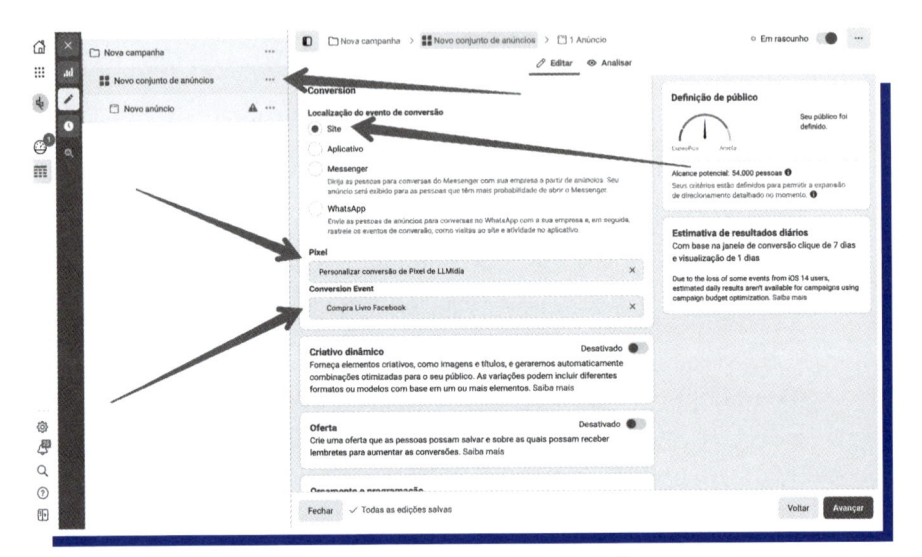

117. CAMPANHAS DE CONVERSÃO

Veja detalhadamente se:

- Escolheu o seu Pixel.
- Selecionou a conversão personalizada que você acabou de criar.

Pronto! Agora você deu a indicação para o Facebook do seguinte:

Oh Face, eu estou fazendo esta campanha de conversões para que as pessoas cheguem nesta Página de Obrigado, ok?

Esta é, talvez, uma das partes mais complicadas deste livro. É normal que, num primeiro momento, pareça confuso todo o processo, mas com a prática tudo vai ficando mais claro.

14
GESTOR DE ANÚNCIOS: OUTRAS FUNCIONALIDADES

Facebook hoje em dia nos dá várias possibilidades para atingirmos a nossa audiência. A maior rede social do mundo é muito mais do que apenas uma plataforma de criação de anúncios: ela é uma autêntica máquina de analisar dados e permitir que os anunciantes tenham resultado com eles. Só que a maioria dos anunciantes não faz ideia desse poder. Ficam pelo básico. Nesta parte, vou mostrar algumas opções que você provavelmente nunca ouviu falar e que podem fazer a diferença no seu negócio.

Como duplicar uma campanha, um conjunto de anúncios ou anúncio

Uma das coisas que vai fazer você poupar muito tempo é o hábito de duplicar campanhas, conjuntos de anúncios e anúncios sempre que precisar. Imagine a seguinte situação: você criou uma campanha que deu muito certo. Porém, agora quer criar outra bastante parecida, só trocando um detalhe ou outro. Será que você precisa começar tudo de novo? Não! Basta clicar em duplicar, fazer suas alterações e pronto: a mágica está feita!

O passo a passo é o seguinte. Clique na campanha que quer duplicar e depois no botão Duplicar:

118. BOTÃO DE DUPLICAR

Agora, você verá uma tela como esta:

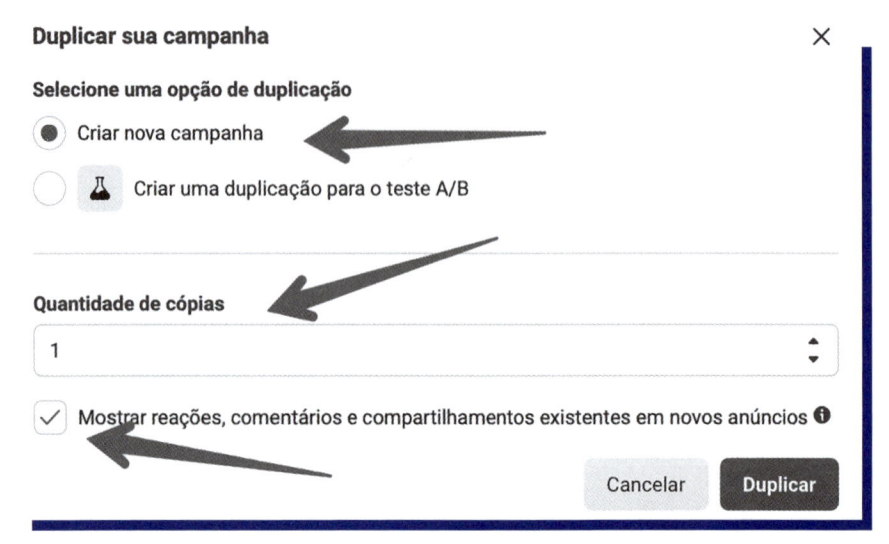

119. DUPLICAR A CAMPANHA

Dois pontos importantes aqui:

- Quantidade de cópias: são quantas cópias de campanhas você quer fazer.
- Mostrar reações: nesta parte, ao duplicar, você duplica também reações, comentários e compartilhamentos que a sua campanha anterior teve. Poderá vir a ser útil como prova social caso o seu anúncio anterior tenha bastante interação.

E pronto, agora é só fazer as alterações que pretende na campanha duplicada! Esse passo a passo também é aplicável nos conjuntos de anúncios e anúncios.

Como ter acesso às notas fiscais dos anúncios

Para quem tem empresa, é importante ter os comprovantes dos gastos com anúncios. Para ter acesso às notas fiscais é bem simples. Veja onde clicar na imagem:

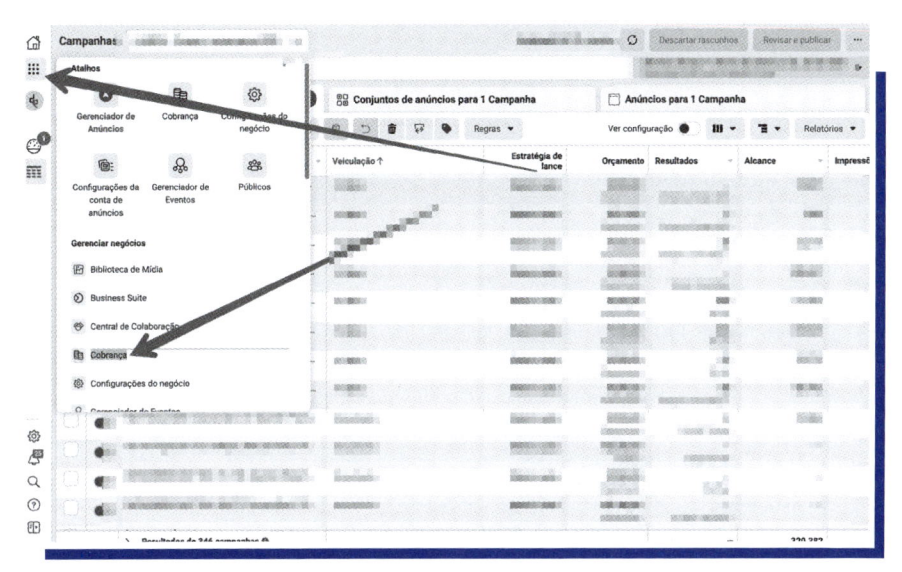

120. COBRANÇA

Agora elas aparecerão e basta apenas fazer o download delas:

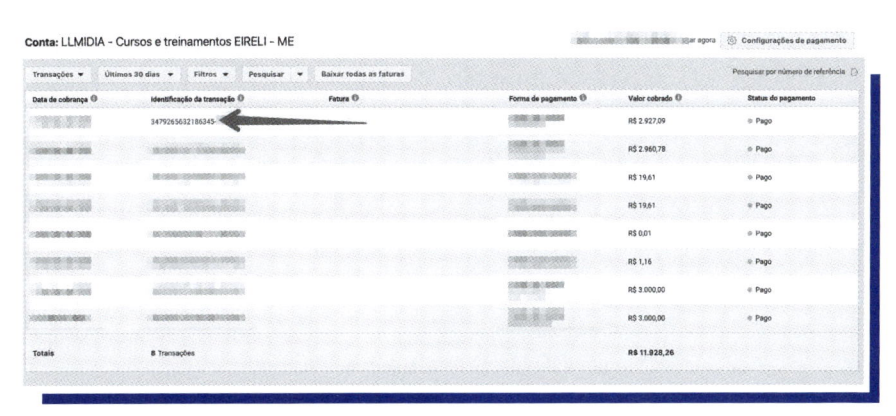

121. NOTAS FISCAIS

Como dar acesso para outras pessoas gerenciarem sua conta de anúncios (ou vice-versa)

Se você trabalhar com um gestor de tráfego (mais à frente no livro explicarei o que é), é importante que dê o acesso à sua conta de anúncios para que ele possa gerenciar os seus anúncios a partir do perfil dele. Fazer isso é bem simples.

Vá até aqui:

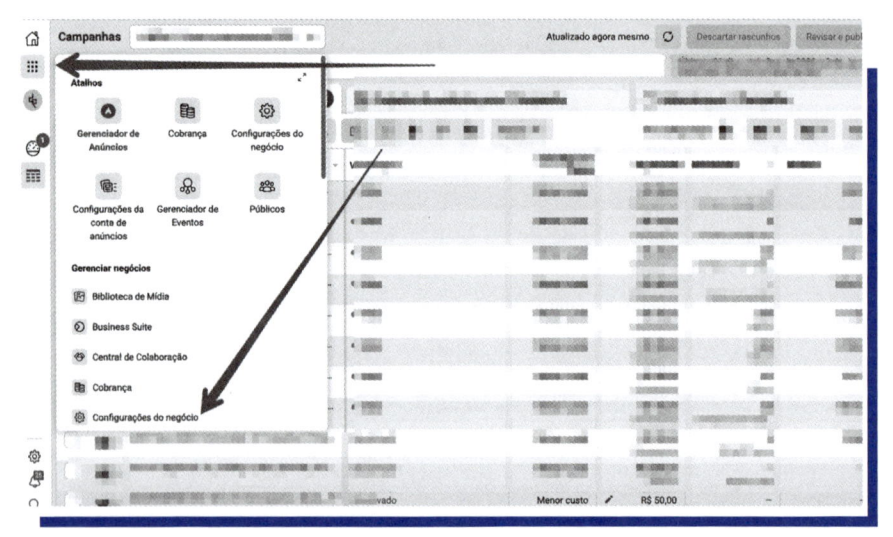

122. CONFIGURAÇÃO DO NEGÓCIO

Depois você precisa seguir quatro passos:

1. Adicionar a pessoa ao Business Suite (falaremos mais sobre ele em breve).
2. Adicionar ele à sua página de Facebook.
3. Adicionar ele à sua conta de Instagram.
4. Adicionar ele à sua conta de anúncios.

Vamos aos passos. Primeiro adicione uma pessoa ao Business:

123. ADICIONAR PESSOAS AO BUSINESS

Depois, adicione ela aos seus três ativos: página de Facebook, conta de Instagram e conta de anúncios:

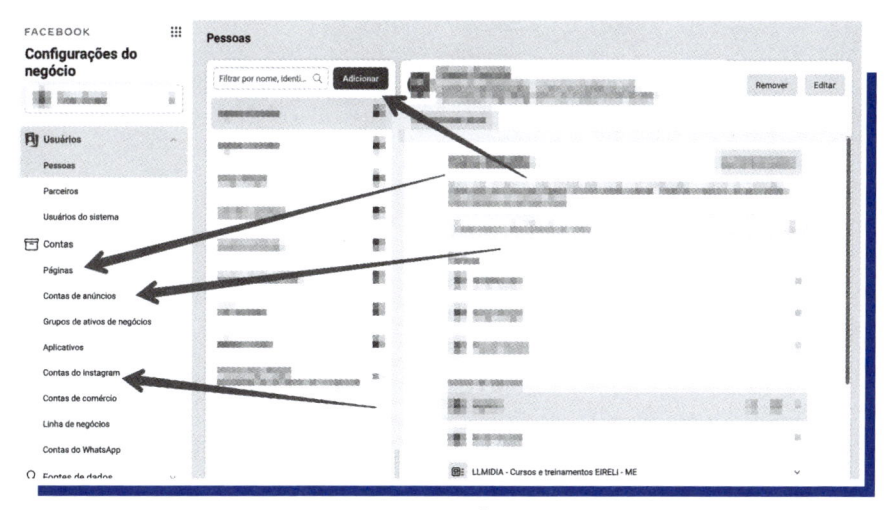

124. ADICIONAR ÀS CONTAS

Pronto, agora essa pessoa já poderá gerenciar os seus anúncios a partir do Business dela.

Atenção: jamais dê a sua senha do Facebook para quem vai gerenciar os seus anúncios. Além de ser extremamente perigoso, o passo a passo que mostrei é bem simples de fazer e não gera qualquer tipo de transtorno.

Qualidade da conta

O Facebook permite que você veja se a sua conta está com qualidade ou não. Essa qualidade é definida pela quantidade de anúncios rejeitados que você tem. E, como já vimos aqui, ter uma má qualidade na conta faz com que ela seja bloqueada mais facilmente.

Para analisar a qualidade basta ir até aqui:

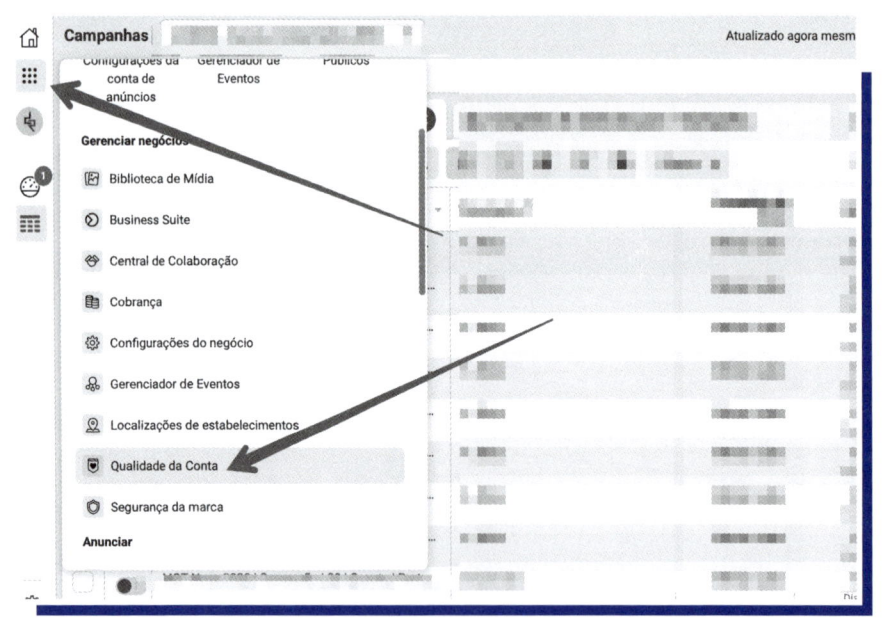

125. QUALIDADE DA CONTA

Depois é possível ver as contas que tiveram anúncios rejeitados ou quais estão desativadas:

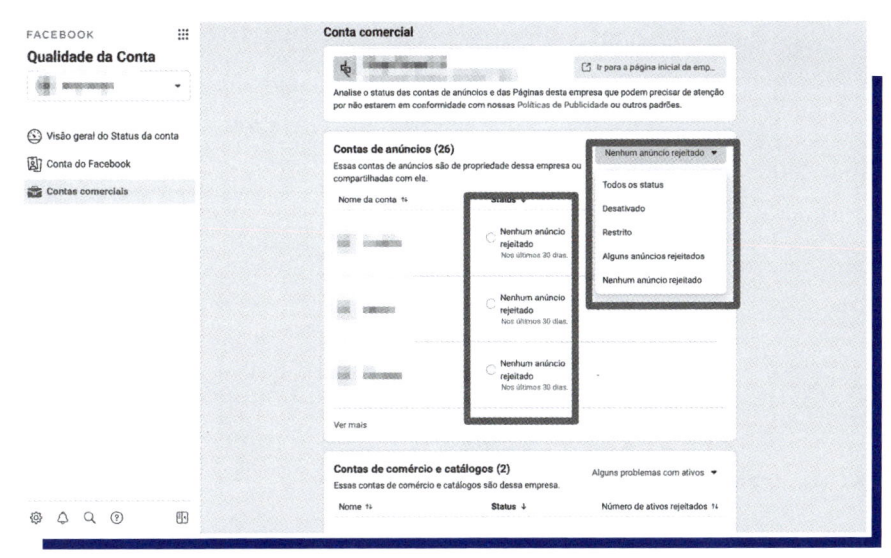

126. QUALIDADE DA CONTA ANÁLISE

Confesso que não uso muito esta opção, mas é uma verdadeira mão na roda para quem quer analisar quantos anúncios foram rejeitados nos últimos dias ou quantas contas inativas tem.

Regras automáticas

Esta é uma opção do Facebook e permite que defina regras automáticas para os seus anúncios. Exemplo:

> *Vamos imaginar que você tem uma campanha a decorrer e sabe que o preço máximo que quer pagar por contato é R$ 6,00. Imaginemos que vai lançar essa campanha numa sexta-feira e que, durante o fim de semana, estará fora do computador. Como garantir que, durante o sábado e o domingo, não vai pagar um preço absurdo por lead e desperdiçar dinheiro? Para isso surgiram as regras automáticas.*

Com elas você pode definir que, caso o seu objetivo ultrapasse ou não atinja um determinado valor, a campanha seja pausada e o orçamento seja diminuído, ou você recebe apenas um aviso. Tudo isso de forma automática.

E essas regras podem ser definidas segundo vários fatores, como frequência, custo por lead, custo por venda, horas desde que o anúncio foi criado etc.

Exemplo de regra: Se o custo por venda for maior do que R$ 60,00 durante o dia de hoje, reduzir o orçamento diário em 50%.

Ao criar essa regra, o Facebook automaticamente reduziria o seu investimento diário em 50% caso o seu custo por aquisição por cliente ultrapassasse os R$ 60,00. Se isso não acontecesse, tudo continuaria a funcionar normalmente.

Essa opção é bastante útil pois permite que o Facebook trabalhe por nós em alguns momentos. Recomendo muito que experimente criar a sua primeira regra e faça alguns testes.

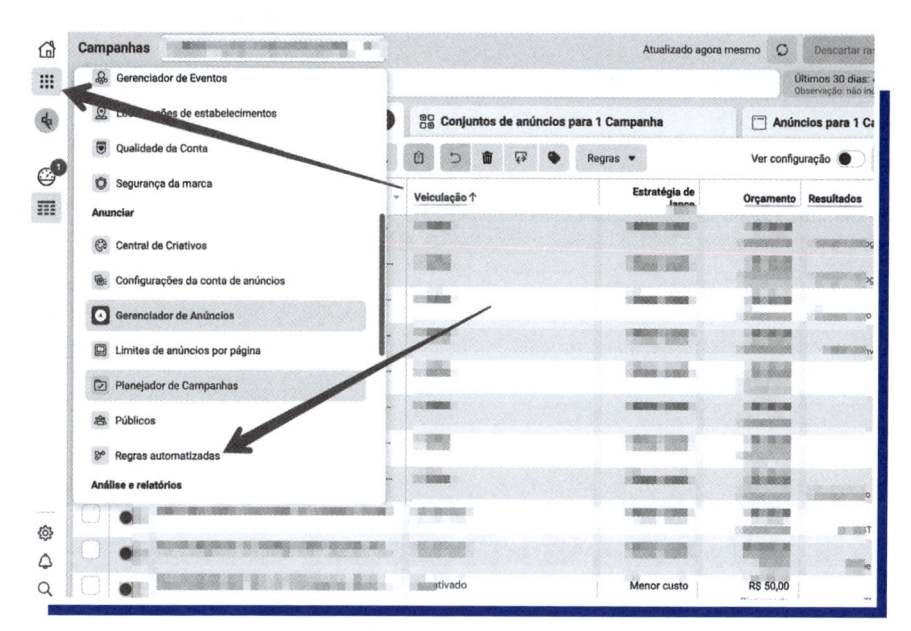

127. REGRAS AUTOMATIZADAS

15
ANÁLISE DOS RELATÓRIOS

Como mencionamos anteriormente, é importante medir tudo aquilo que é feito em termos de publicidade no Facebook. Mas, para conseguir fazê-lo, é necessário entender como funcionam os relatórios do Facebook. Eles parecem um pouco complexos à primeira vista devido à sua elevada quantidade de métricas, mas o meu objetivo com este capítulo é simplificar tudo para você. Existem aquelas pessoas que são paranóicas com os dados. Como o Facebook e o Instagram mostram centenas de dados, elas acham que precisam olhar para todos. Nada disso. Você só precisar olhar para aqueles que são essenciais. E, como verá neste capítulo, eles nem são assim tantos.

Normalmente existem três tipos de dados na publicidade do Facebook:

- Os principais, que estão relacionados com o seu objetivo principal naquela campanha (gerar *contatos, conseguir vendas etc.*).
- Os secundários, que estão relacionados com a performance da publicidade. São dados que auxiliam a chegar ao seu objetivo principal.
- E por último temos os dados terciários. São aqueles que você pode ignorar até certo ponto e continuar a ter sucesso com a sua campanha.

Antes de começar qualquer campanha no Facebook é importante perguntar a si mesmo:

Qual o meu grande objetivo com esta campanha?

Definir claramente o que pretende com a publicidade no Facebook ajudará a clarear as suas principais metas. Com uma visão mais nítida daquilo que pretende, torna-se mais fácil criar anúncios e analisar a performance desses mesmos anúncios.

Mais uma vez, para conseguir acompanhar todo o raciocínio das próximas páginas, aconselho-o a ter o seu computador ligado e a seguir todas as indicações passo a passo.

PAINEL DE RELATÓRIOS

A análise de dados das campanhas é fundamental, e o próprio Facebook sabe disso. Por essa razão, a maior rede social do mundo conta com um painel muito simples e bem formulado, no qual em poucos minutos é possível perceber como estão os dados de uma determinada campanha.

Mas, antes de prosseguirmos, preciso falar com você sobre duas coisas. Para falar sobre a primeira, necessito que olhe para esta imagem e para a parte que é contornada pelo retângulo:

128. COLUNAS DE RELATÓRIOS

Nas colunas, você pode selecionar as abas Campanhas, Conjunto de anúncios e Anúncios. Os dados que você está vendo a seguir — que neste caso estão desfocados — são relativos às Campanhas. Caso eu clicasse na aba Conjunto de anúncios, os dados mostrados seriam do Conjunto de anúncios, e o mesmo aconteceria para os Anúncios.

Gosto sempre de deixar esse aviso pois é um erro comum. Já vi muita gente analisando dados da Campanha e pensando que estava analisando o Anúncio.

O segundo ponto que quero falar com você é sobre a data. Aqui:

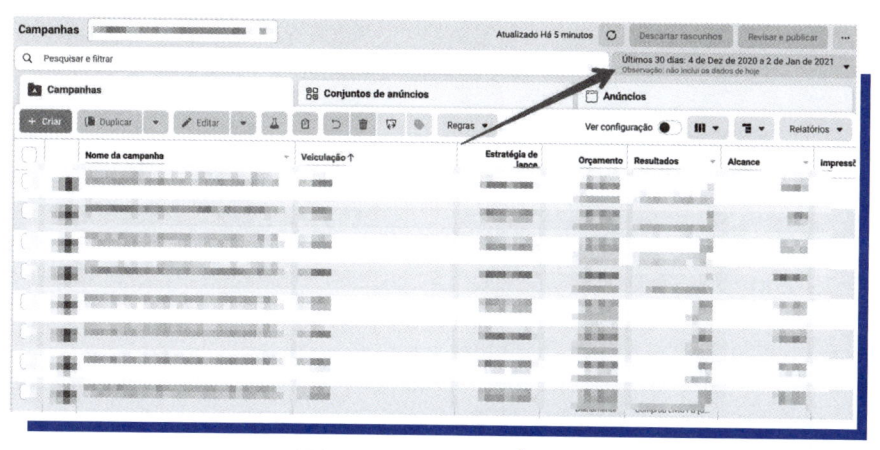

129. DATA DE RELATÓRIOS

Todos os dados que aparecem nos relatórios são relativos à data que você seleciona. Um exemplo: se está analisando uma campanha que começou hoje mas na data está o dia de ontem, os números aparecerão zerados. Muito cuidado com isso. Já vi muita gente achar que a sua conta de Facebook estava com algum *problema* quando na verdade era a data de análise que estava errada.

Dados os devidos avisos, vamos voltar às análises. Já pensou sobre o seu grande objetivo da próxima campanha? Por norma, os objetivos que uma campanha de rede social pode ter são estes:

- Gerar vendas no site/e-commerce.
- Capturar contatos no site.
- Trazer potenciais clientes para o WhatsApp.
- Trazer potenciais clientes para o Messenger.
- Trazer potenciais clientes para o Direct.
- Capturar leads num formulário de Facebook.
- Aumentar seguidores no Instagram.
- Aumentar fãs no Facebook.
- Aumentar a interação de posts.
- Aumentar as visualizações dos vídeos.

O seu objetivo principal será sempre o guia para perceber se a sua campanha está num bom caminho ou não.

Muita gente fica me perguntando:

Luciano, o que acha deste alcance? Luciano, o que acha desta quantidade de impressões?

Na verdade existem dados que não servem rigorosamente para nada na maioria dos casos. Não é porque o Facebook mostra um dado nos relatórios que você precisa prestar atenção nele!

O seu guia será sempre a sua métrica principal. Se está vendendo, capturando contatos ou qualquer que seja o seu objetivo, isso é um sinal de que o seu anúncio está indo bem!

Luciano, mas e se não estiver indo bem?

Aí precisamos olhar um pouco para trás. É necessário fazer uma engenharia reversa e perceber o que está fazendo com que o usuário não chegue ao seu objetivo final.

Uma métrica que precisa sempre olhar é o CTR. O CTR (em inglês, *Click Through Rate*) é uma métrica nos relatórios que demonstra a taxa de cliques no link. Quanto mais cliques o seu anúncio tiver, maior será o seu CTR e mais sucesso terá o seu anúncio.

A fórmula para o CTR é a seguinte:

[(quantidade de cliques/número de impressões)x100].

Vamos a um exemplo. Se o seu anúncio teve 100 impressões e recebeu 2 cliques, logo, 2/100 = 0,02. Multiplicando esse valor por 100 dá 2. A sua taxa de cliques será de 2%.

Mas não se preocupe, você não terá que fazer essas contas. Nos relatórios, o próprio Facebook apresenta elas. Na minha visão, um CTR interessante precisa estar acima de 1%. Se você tem abaixo disso, significa que ainda tem muito para melhorar no seu anúncio.

É importante salientar que, conforme o objetivo do seu anúncio, pode ser que o CTR seja maior ou menor. Nos anúncios de conversão, o CTR tende a ser menor do que nos anúncios de tráfego, por exemplo. Então isso significa que os anúncios com o objetivo de tráfego são melhores? Não! O CTR é um indicador secundário. Logo, ele não deve substituir o seu principal, que será um dos que referenciamos anteriormente.

Mais à frente neste capítulo mostrarei onde você pode ver cada uma dessas métricas.

Outra métrica interessante a se avaliar é o CPM. Ele significa Custo Por Mil Impressões. Ele é um indicador da sua concorrência. Quanto mais caro é o seu CPM, mais concorrência tem essa segmentação que você escolheu. Se reparar, na Black Friday, por exemplo, o CPM dispara, muitas vezes atingindo dez vezes o valor normal dele.

E como descer esse CPM? Na verdade você não pode fazer muito em relação a ele. Talvez possa testar novas segmentações para ver se consegue encontrar públicos em que o custo seja menor, mas não há muito mais a se fazer. Ele serve mais para você entender o motivo de, por vezes, os seus anúncios estarem mais caros ou mais baratos. *O custo do anúncio aumentou?* Dá uma olhada no CPM e veja se ele não aumentou.

Outro fator a levar em consideração é a Frequência. Ela representa a quantidade de vezes que o seu anúncio, em média, foi mostrado para a mesma pessoa. O número médio de frequência pode variar de uma a duas por conjunto de anúncio ou até mais, dependendo de seu orçamento, do tamanho do público e da programação.

No entanto, é importante monitorar a frequência junto de seus resultados para garantir que as mesmas pessoas não sejam expostas muitas vezes aos seus anúncios durante uma campanha. Caso o desempenho comece a cair com o aumento da frequência, o público-alvo pode estar se esgotando. Ou seja, as mesmas pessoas estão vendo repetidamente o mesmo anúncio. Quando esse momento chega, o melhor a se fazer é: ou criar outra campanha ou trocar de anúncios.

Para público frio, a frequência ideal costuma andar até um máximo de duas. Já para público quente ou que visitou uma página e não comprou, a frequência pode andar mais alta, talvez em torno de quatro ou cinco. Mas lembre-se: sua métrica principal é o seu guia. Se a frequência está em oito mas ainda está dando resultado, não pause a sua campanha.

Além dessas métricas, as restantes que olho são: custo por resultado, resultados e valor gasto. O custo por resultado é o custo pelo seu objetivo de campanha. Vamos a alguns exemplos:

- **Objetivo Mensagens:** o custo por resultado é o custo por cada mensagem nova.
- **Objetivo Tráfego:** o custo por resultado é o custo por cada nova visita ao site.
- **Objetivo Geração de Cadastros:** o custo por resultado é o custo por cada cadastro novo.

E por aí vai. Já os resultados são quantas vezes o seu objetivo da campanha aconteceu. Mantendo os exemplos anteriores, veja como fica:

- **Objetivo Mensagens:** o resultado é a quantidade de cada mensagem que recebeu.
- **Objetivo Tráfego:** o resultado é a quantidade de novas visitas que recebeu no site.
- **Objetivo Geração de Cadastros:** o resultado é a quantidade de novos cadastros que recebeu.

Então, resumindo, o seu relatório de análise de campanhas precisa ter as seguintes métricas sempre:

- CTR
- CPM
- Frequência
- Resultado
- Custo por resultado
- Valor gasto

Depois, de acordo com o objetivo, podem existir pequenas métricas a mais que você vai analisar. O caso das campanhas de visualização de vídeo é um bom exemplo. Além de analisar as métricas que falei, você pode analisar qual o custo por visualização de 50% de seu vídeo, por exemplo, caso isso seja relevante para você. Existem exceções, mas, independentemente do seu objetivo de campanha, as cinco métricas mencionadas são sempre fundamentais.

ANALISANDO AS CAMPANHAS NA PRÁTICA

Para acompanhar esta parte do livro, faça o seguinte:

- Vá para o computador.
- Abra o Gerenciador de anúncios.
- Siga as telas que vou mostrar aqui.

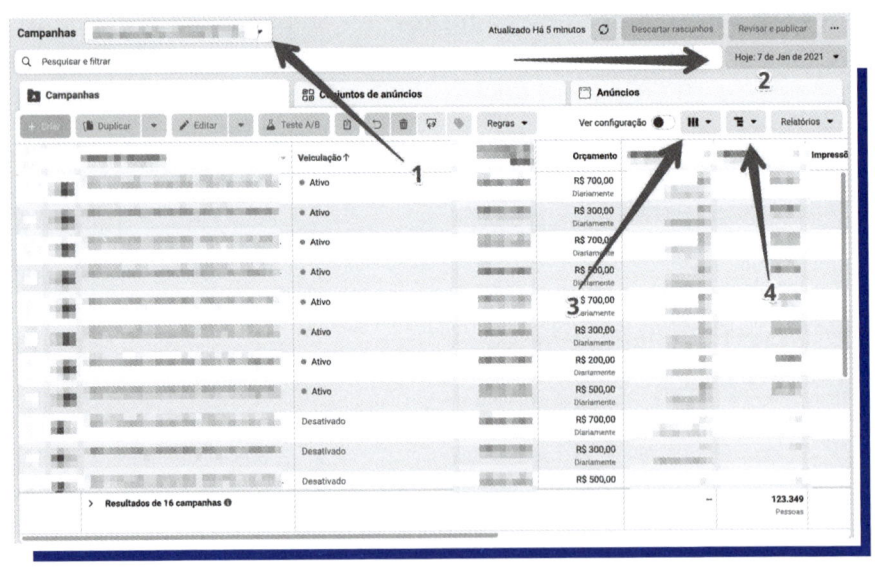

130. ANÁLISE DE RELATÓRIOS

Vamos ver cada um destes quatro pontos pois eles são fundamentais:

1. É relativo à sua conta de anúncios. Se você tem mais do que uma conta de anúncio, verifique se essa é a conta de anúncios que quer analisar.
2. Verifique se essa é a data certa que pretende analisar.
3. Nesta coluna você vai conseguir alterar as métricas que vai analisar.
4. Aqui você analisa outros dados, como idade, gênero ou localização de quem recebeu o seu anúncio.

Apresentado o painel, vamos ao passo seguinte, que é clicar no número 3 e depois em Personalizar colunas. Aqui:

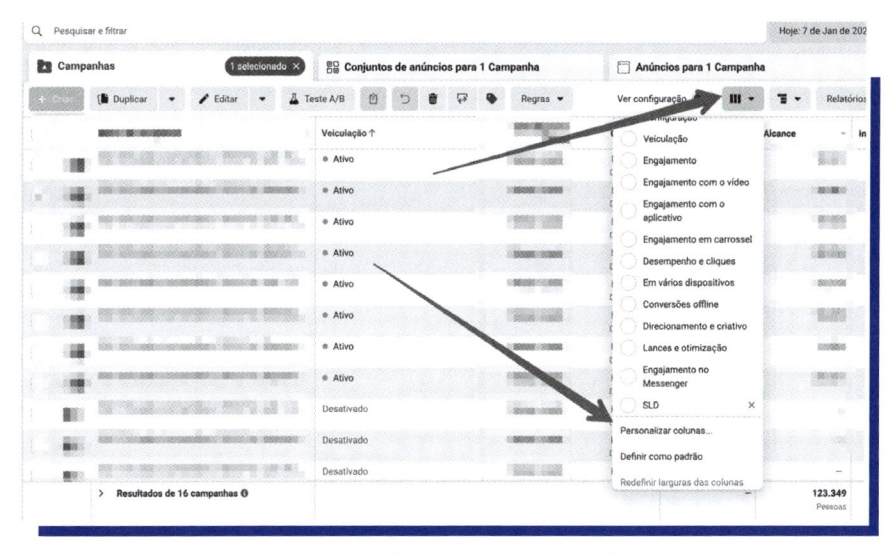

131. PERSONALIZAR COLUNAS

Agora você vai apagar todos os dados que estão do lado direito:

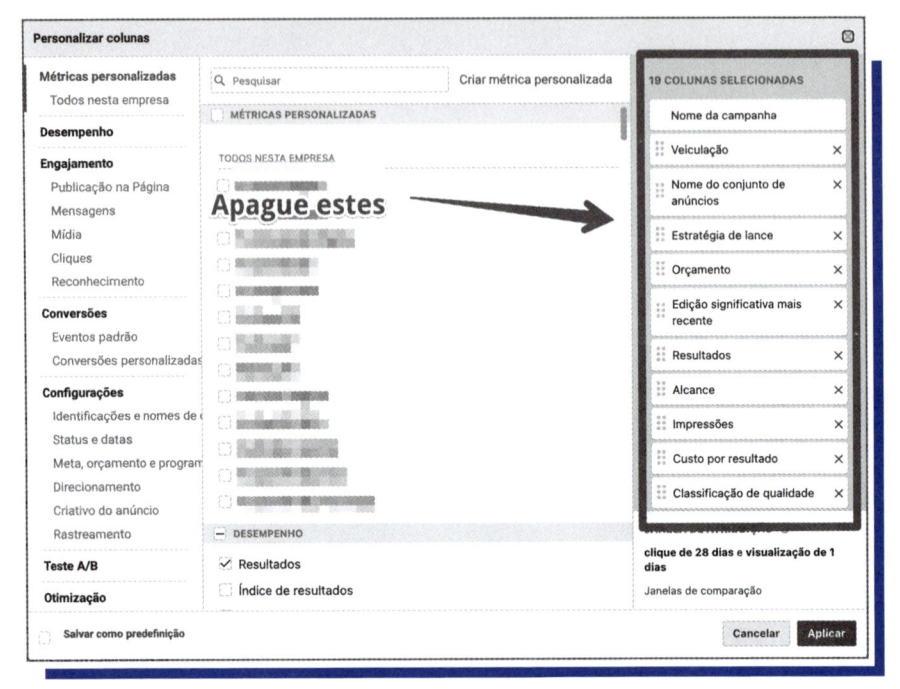

132. APAGAR MÉTRICAS

Apague todos eles sem dó. Não se preocupe, isso não afetará em nada as suas campanhas.

Depois vá até esta caixa de pesquisa:

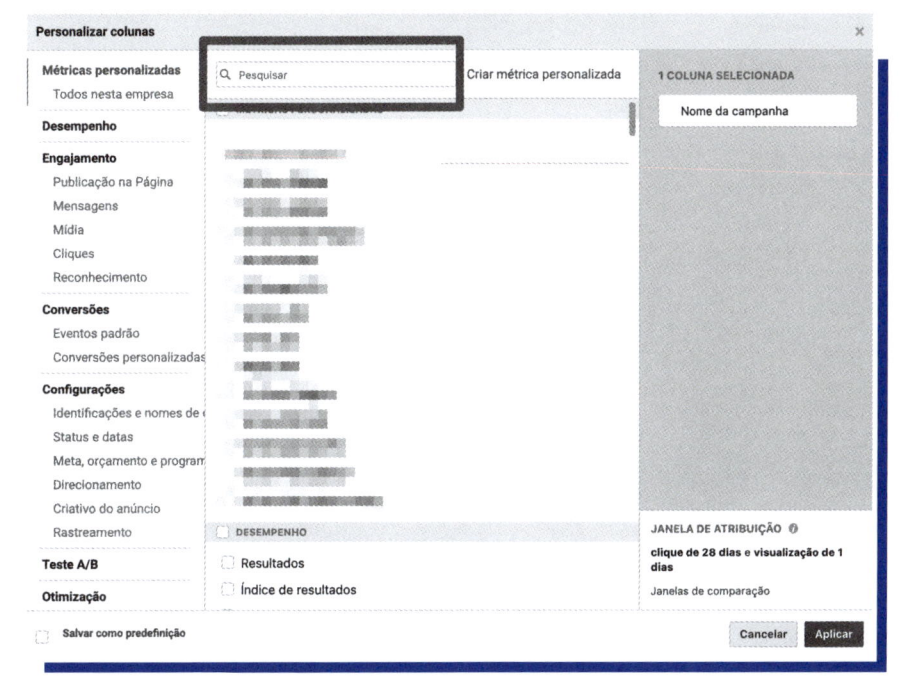

133. CAIXA DE PESQUISA

Agora escreva nessa caixa cada uma das métricas que mencionamos e adicione elas:

- CTR
- CPM
- Frequência
- Resultado
- Custo por resultado
- Valor gasto

Vai ficar algo assim:

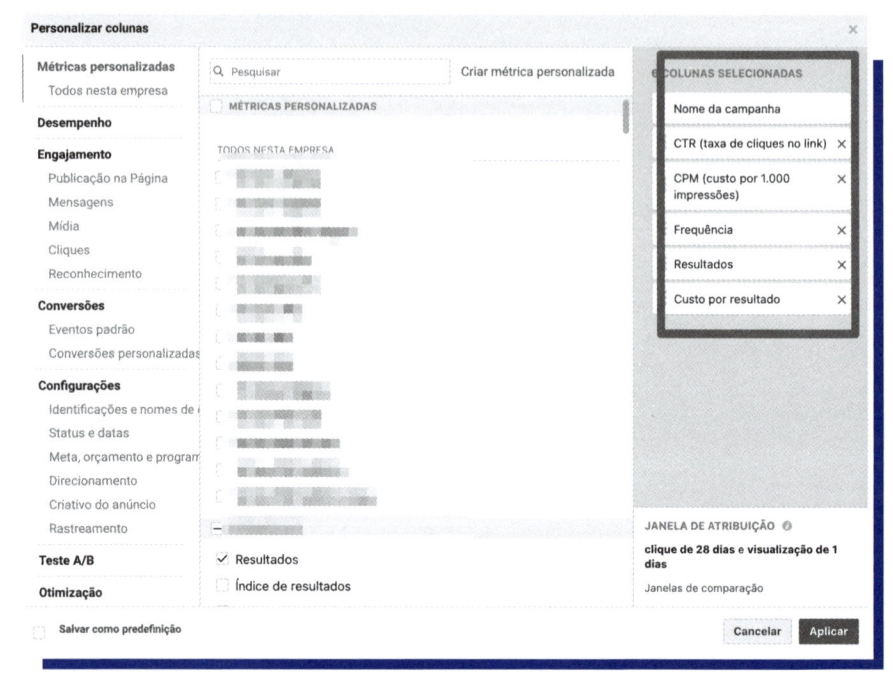

134. RELATÓRIO PERSONALIZADO

Agora vá em Salvar como predefinição e insira um nome. Esse nome vai ser apenas para identificação interna:

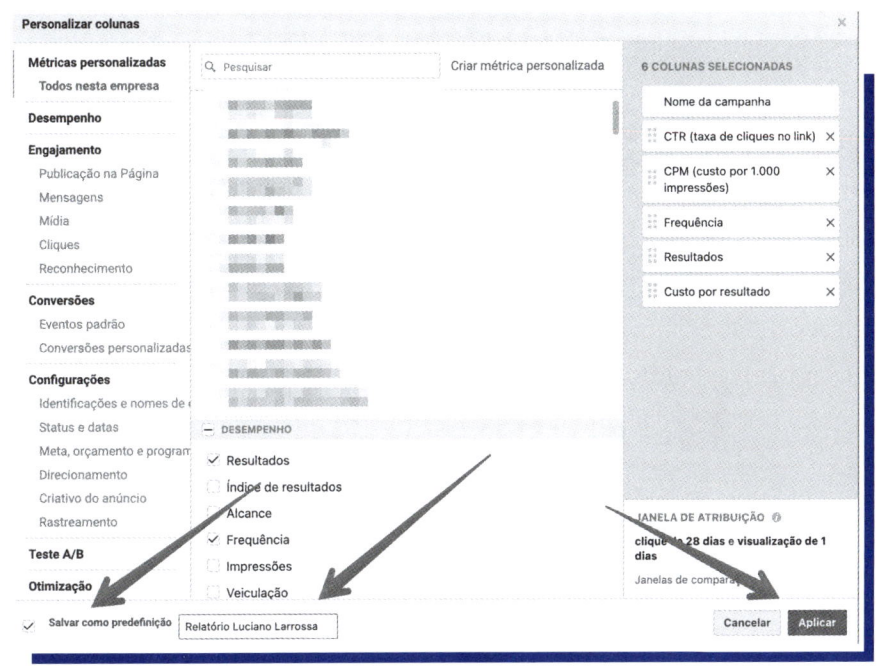

135. SALVAR COMO PADRÃO

Agora, nos seus relatórios, você já terá um relatório personalizado. É só clicar nele que o Facebook já vai puxar todas as métricas que precisa analisar:

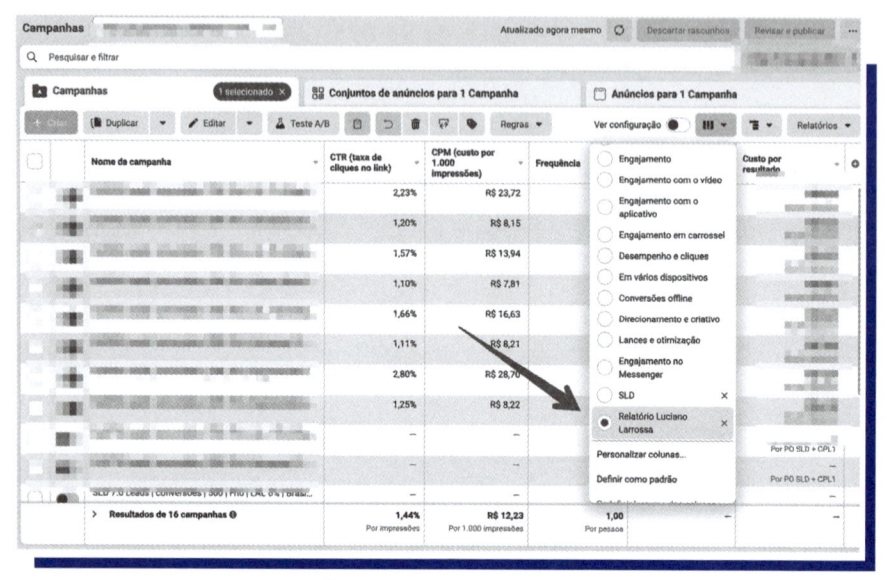

136. RELATÓRIO PERSONALIZADO DO LIVRO

Pronto, agora, em todas as campanhas futuras, já tem o seu relatório pronto para visualizar as métricas principais! E você pode editar esse relatório quando quiser ou criar novos.

Quanto à outra coluna, uso mais ela para analisar as idades ou gênero que têm trazido mais resultado. Desta forma, consigo melhorar as campanhas e entendo quem é o público que compra de cada produto meu. Para ver a faixa etária de quem está recebendo os seus anúncios, basta vir até aqui:

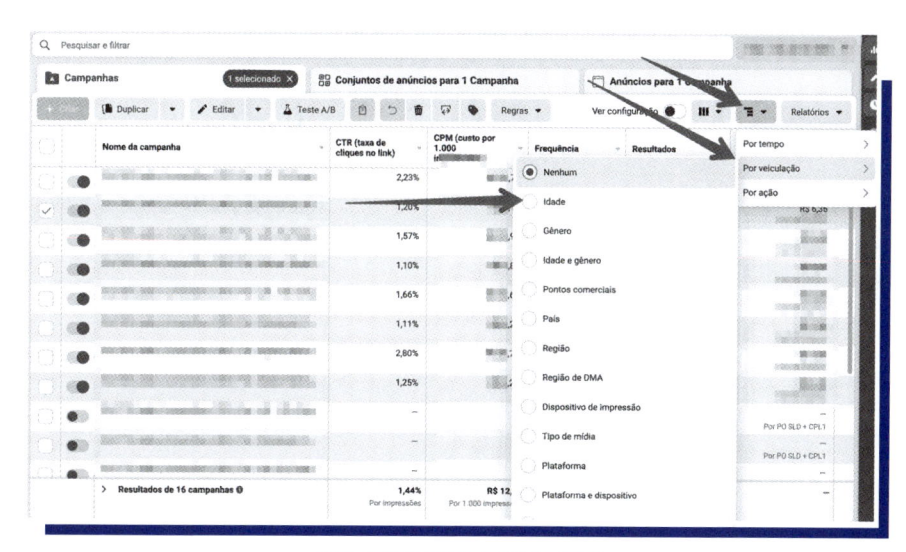

137. ANALISAR POR IDADE

Pronto, agora consigo analisar os resultados por faixa etária:

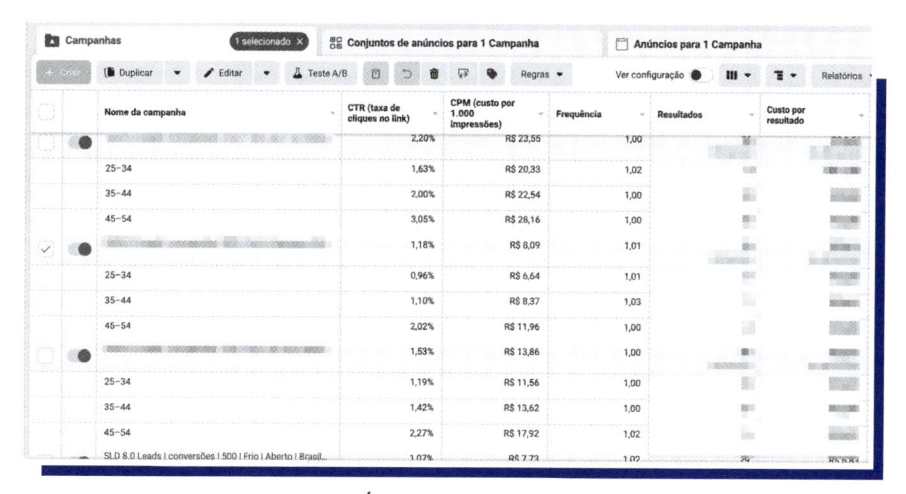

138. ANÁLISE FINAL POR IDADES

Se quiser analisar outras coisas, como gênero, posicionamento ou região, é só seguir o mesmo processo e selecionar o que pretende.

VERIFICAÇÃO DAS CAMPANHAS: DE QUANTO EM QUANTO TEMPO?

Uma das dúvidas mais comuns que os alunos da mentoria me apresentam está relacionada com a verificação das campanhas. De quanto em quanto uma pessoa que faz o gerenciamento de anúncios deve verificar a performance das suas campanhas?

Com os meus clientes, tenho o hábito de verificar a performance das campanhas pelo menos uma vez por dia. Normalmente é logo pela manhã, quando começo a trabalhar.

Mas se, no seu caso, está dando os primeiros passos, aconselho que verifique a performance duas vezes por dia. Com o tempo você pode diminuir para apenas uma vez por dia.

Um erro que deve evitar é estar constantemente fazendo essa verificação. Os resultados variam bastante conforme os horários do dia e os dias da semana, e avaliar de forma constante só vai deixá-lo mais ansioso e fazê-lo tomar decisões mais precipitadas.

Outra grande dúvida está relacionada com a paragem das campanhas. Quando você sabe que está na hora de pausar uma campanha? Por norma, menos de 24 horas após iniciar a campanha é sempre uma decisão precipitada. Deixe a campanha no ar durante, pelo menos, 24 horas antes de tomar qualquer decisão.

Lembra de termos falado sobre a inteligência do Facebook? Pois é, ela precisa de algum tempo para atuar. E para isso ela precisa de dados. E ela só terá dados se você der tempo para que o Facebook entenda quem são as pessoas que estão trazendo retorno e quais não estão. Nas primeiras horas de uma campanha, é normal que ela fique um pouco cara. Mas, conforme o Facebook vai tendo mais dados, o preço tende a baixar.

Porém, você precisa entender que no Facebook e Instagram, ao contrário do Google, as campanhas têm uma vida útil. É normal que elas, ao fim de alguns dias, comecem a entregar menos resultados. Nessa altura, você precisa criar uma nova campanha.

Então, mas durante quanto tempo uma campanha dá resultado?

Depende de vários fatores. Existem campanhas que podem perder performance ao fim de dias. Outras, ao fim de alguns meses. Depende de muitas variantes, como o tamanho do público, o orçamento ou o próprio anúncio em si. O ideal é ficar sempre monitorando e, caso ela esteja há vários dias seguidos perdendo performance, o melhor é mesmo pausar essa campanha e criar uma nova.

16 REGRAS PARA AUMENTAR O SUCESSO DOS SEUS ANÚNCIOS

Até aqui temos falado muito em segmentação e utilização das suas bases de dados para criar anúncios. É essencial entregar os seus anúncios às pessoas certas e tenho certeza de que você está preparado para isso. Porém, agora vem o passo seguinte: a criação de anúncios atraentes. Porque não adianta entregar o seu anúncio à pessoa certa se ele não gerar vontade de clicar.

Durante os últimos anos tenho seguido alguns princípios que têm garantido bons resultados com a criação de anúncios. Ao longo deste capítulo compartilharei com você alguns desses princípios.

1. Use chamadas para a ação

Uma das coisas que não podemos esquecer quando fazemos anúncios é que o usuário que receberá os nossos anúncios não tem a mesma sensibilidade para a plataforma que nós. Muitos usuários das redes sociais não sabem onde clicar para ler um texto, não sabem como marcar uma pessoa para responder a um comentário ou até mesmo como pesquisar pela pessoa que querem encontrar.

E essa mesma discrepância deve ser levada em conta nos anúncios. Algumas pessoas que receberão os seus anúncios simplesmente não sabem onde clicar para ter acesso ao produto oferecido! É muito comum fazer anúncios para os meus livros e alguns usuários perguntarem *Onde posso comprar o livro?* ou *Quanto custa?*. Acredite: isso acontece!

Uma das formas de diminuir esse tipo de situação é inserindo uma chamada para a ação. Ela é um pedido que tem como objetivo levar o usuário a ter uma ação, como clicar num anúncio, deixar um comentário, compartilhar etc.

Veja a seguir como ficou nesta imagem:

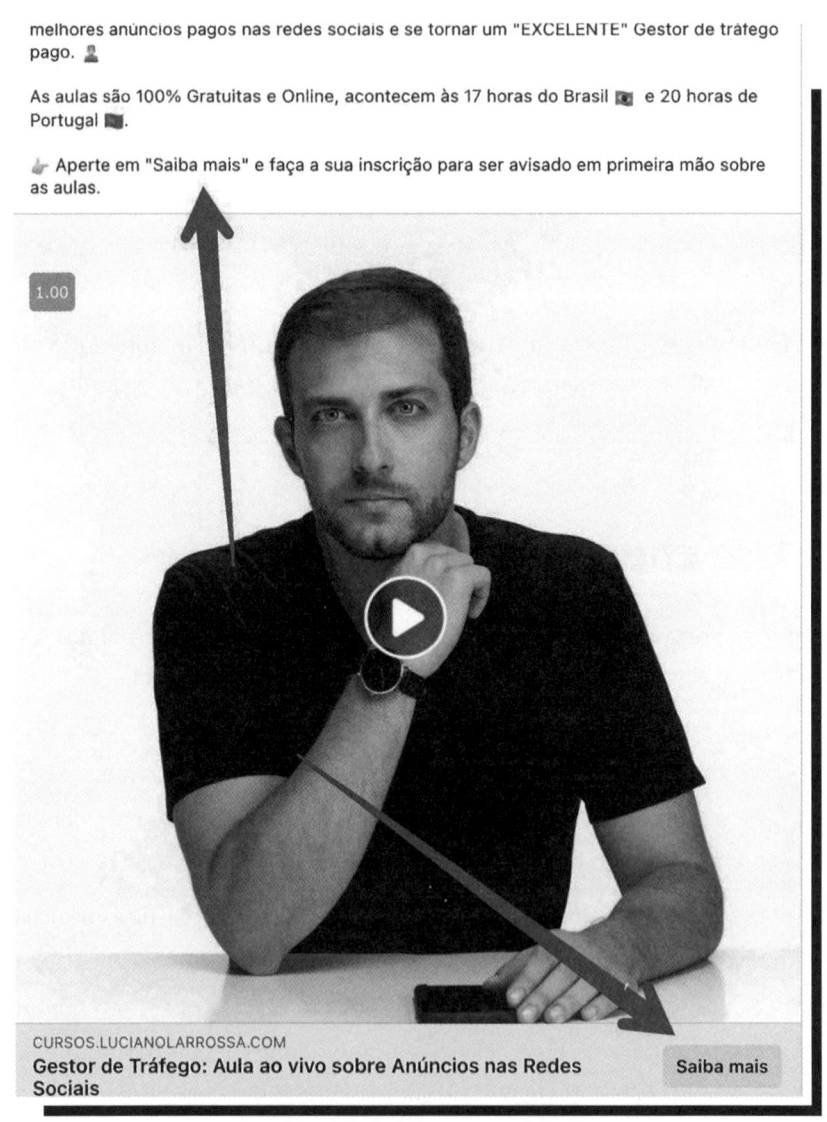

139. EXEMPLO DE CHAMADA PARA A AÇÃO

Aviso o usuário que, se ele quiser se inscrever nas minhas aulas, basta clicar no botão Saiba Mais.

2. Realce o benefício

Outro pormenor que qualquer pessoa que faz anúncios não deve esquecer é que as vendas acontecem, principalmente, mediante a emoção, e não a razão. Infelizmente, vejo muitos anúncios nas redes sociais que realçam as características dos produtos (as razões) em vez dos benefícios que o produto traz aos clientes (emoções). Repare no texto que está no topo e no título da mesma imagem:

140. REALCE O BENEFÍCIO

Este é um exemplo de como as emoções dos potenciais clientes são exploradas em detrimento da razão. "Transforme visitantes em clientes" e "Aumente as vendas do seu site" são benefícios claros que a ferramenta apresenta aos seus clientes. O anúncio poderia enumerar que o site tem um design agradável ou que o chat é uma forma de comunicar com os potenciais clientes, mas não é isso que o público-alvo quer, pelo menos não de forma direta. Neste caso, o público-alvo só quer uma coisa: aumentar as vendas do seu site utilizando um chat.

Vejamos outro exemplo:

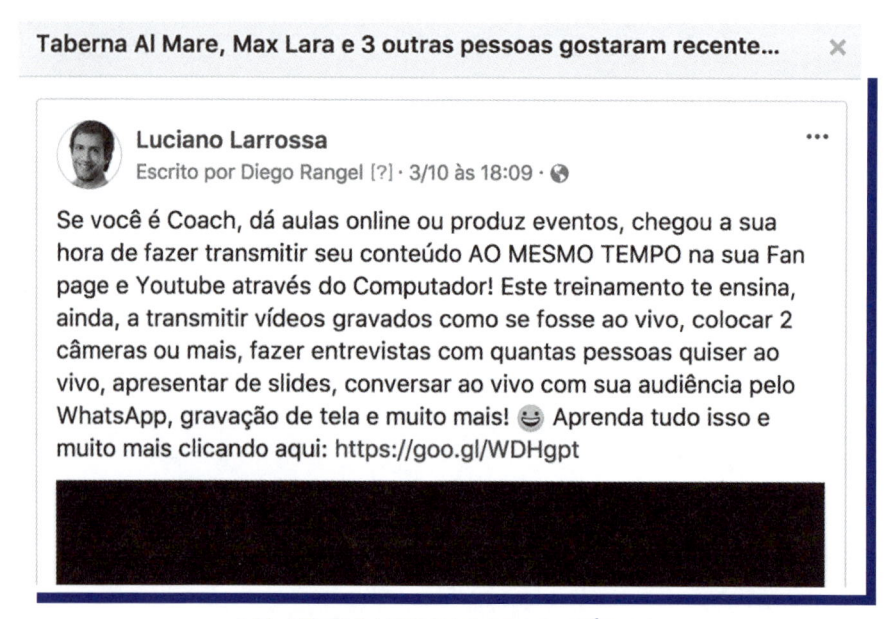

141. OUTRO EXEMPLO DE BENEFÍCIOS

Esse anúncio é referente a um curso de Transmissões ao Vivo que vendo. É um curso que, inclusive, só a partir de anúncios, rende cerca de

R$ 30 mil todos os meses. Repare em como realço algumas transformações e benefícios que o usuário vai receber ao fazer parte do curso:

- *Chegou a sua hora de fazer transmitir seu conteúdo AO MESMO TEMPO na sua Fan page e YouTube a partir do Computador!*
- *Este treinamento te ensina, ainda, a transmitir vídeos gravados como se fosse ao vivo.*
- *Colocar 2 câmeras ou mais.*
- *Fazer entrevistas com quantas pessoas quiser ao vivo.*
- *Fazer apresentação com slides.*
- *Conversar ao vivo com sua audiência pelo WhatsApp.*
- *Gravação de tela.*

Eu podia falar que o curso tem um determinado número de horas, o meu currículo ou que os alunos vão poder deixar dúvidas. Mas não é isso que, à primeira vista, as pessoas querem. Elas querem saber como aquele curso vai transformar a vida delas, e é isso que eu tenho que comunicar.

3. Elimine objeções

O seu anúncio no Facebook também pode aproveitar para matar algumas objeções que os potenciais clientes tenham sobre os seus produtos. Enumere algumas delas e utilize-as para complementar o texto. Veja na imagem a seguir um exemplo disso:

> Transforme VISITANTES em CLIENTES. Instale o nosso bate-papo em menos de 1 minuto. Comece aqui: http://bit.ly/jivochatonline
>
> **AINDA NÃO TEM UM CHAT NO SEU SITE?**
> **CRIE O SEU AQUI**
>
> Aumente as vendas do seu site com o chat online do JivoChat! (Experimente agora GRÁTIS)
> Sem cartão de crédito e sem burocracia.
> WWW.JIVOCHAT.COM.BR
> Saber mais

142. ELIMINE OBJEÇÕES

O anunciante deixou logo claro que a sua ferramenta de chat não obriga a utilizar cartão de crédito nem demorará muito tempo a ser instalada.

4. Simplifique o seu texto

A atenção do usuário do Facebook é o bem mais precioso que você pode ter. Quando ele visualizar o seu anúncio, é importante saber captar a atenção dele e conseguir transmitir a sua mensagem da forma mais direta possível.

Para conseguir ser direto, é necessário transmitir a mesma quantidade de informação no menor número de palavras possível. Confira um exemplo que poderia ser utilizado na descrição de um anúncio:

> *"Clique aqui e saiba como os nossos alunos estão aumentando a sua faturação em até* DUZENTOS POR CENTO! *E tudo isso usando apenas os* TRÊS PASSOS *do nosso curso"*

> Vs

> *"Clique aqui e saiba como nossos alunos estão aumentando sua faturação em até* 200%! *E tudo isso usando apenas os* 3 passos *do nosso curso"*

Trocar palavras por números, sempre que possível, simplifica a mensagem e torna-a mais fácil de ler. Você tem poucos segundos para chamar a atenção do seu potencial cliente. Aproveite!

5. O mais importante vem primeiro

E, quando o objetivo é captar a atenção do usuário, é determinante que você transmita o mais rapidamente possível a sua ideia principal. Ao fim de dois ou três segundos, é importante que o usuário já saiba aquilo que a sua empresa está oferecendo. Veja mais um exemplo de como ficaria na prática:

> *"Aprenda a melhorar os seus resultados no Facebook mediante o nosso ebook. Clique aqui e faça o download gratuito"*

> Vs

> *"*BAIXE GRÁTIS AGORA MESMO *o ebook Facebook Marketing e comece a melhorar os resultados da sua Fan Page* AINDA HOJE! *Clique na imagem para fazer o download"*

6. Cores complementares

Grande parte dos pequenos anunciantes tem que enfrentar um problema comum: eles mesmos têm que criar as imagens para os seus anúncios. Apesar de aconselhar sempre os meus alunos a contratarem um designer para fazer as imagens dos seus anúncios, também sei que muitas vezes isso não é possível. Se você é um desses casos, não se preocupe. Vou dar um conselho que vai ajudar a, pelo menos, criar imagens um pouco mais atraentes: utilize cores complementares. As cores complementares tornam a combinação de cores no seu anúncio mais atraente e você não corre o risco de fazer combinações que atrapalhem a performance do seu anúncio. Uma rápida busca no Google por cores complementares é o suficiente para saber quais deve utilizar.

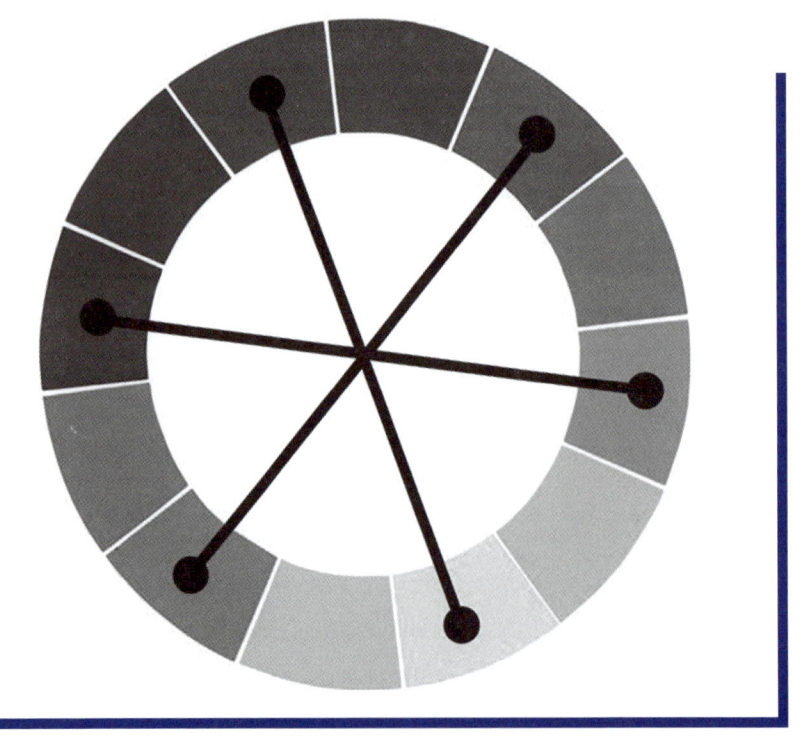

143. CORES COMPLEMENTARES

7. Quebre padrões

Você quer que alguém preste atenção ao seu anúncio? Quebre padrões! O que é comum não atrai a atenção das pessoas. O anúncio que tenho do meu livro, em que estou folheando ele, todos os meses me garante mais de R$ 20 mil em vendas. Repare: é um anúncio folheando um livro!

Mas por que as pessoas prestam atenção? Porque ninguém espera ver alguém folheando um livro no meio do feed do Facebook ou Instagram! É por isso que chama a atenção.

E fiz ele de forma bem simples: usei a câmera do celular, gravei o vídeo, editei no InShot e subi o anúncio. Simples assim! Para quebrar o padrão, o seu anúncio não precisa ser feito com uma câmera profissional ou num cenário específico. Na verdade, os anúncios mais simples são aqueles que tendem a dar melhor resultado.

8. Seja específico

Outro dos segredos para uma boa *copy* no seu anúncio é ser o mais específico possível no valor que entrega ao seu potencial cliente. Vejamos um exemplo:

> *Adquira o nosso curso de produtividade e saiba como ganhar mais tempo no seu dia a dia*
>
> Vs
>
> *Adquira o nosso curso de produtividade e trabalhe menos* **1 HORA POR DIA!** ou *Adquira o nosso curso de produtividade e faça o seu trabalho* **5 VEZES MAIS RÁPIDO!**

Viu como uma pequena mudança no texto mudou a percepção do cliente em relação ao benefício que o nosso produto oferece? Ele agora tem uma ideia do verdadeiro impacto que aquele produto terá na vida dele.

9. Utilize vários objetivos de campanhas

Existem várias formas de vender o mesmo tipo de produto. Para alguns, fazer anúncios para uma Página de Captura vai dar melhor resultado. Para outros, levar o mesmo tipo de produto direto para o WhatsApp trará mais retorno. O que você precisa entender é que não existe só um caminho para vender um mesmo tipo de produto e é necessário que você teste. Estar em mentorias como a minha, por exemplo, ajudará a traçar esse caminho, pois você pode trocar ideias com outros que já seguiram essa mesma direção. Mas, caso não esteja em uma, recomendo que abra a sua mente para testar vários objetivos de campanhas até encontrar aquele que dá um melhor retorno para você.

10. Fique atento aos comentários

Quando investimos dinheiro nos anúncios, eles acabam por chegar a todo tipo de usuários. Alguns clicam e outros dizem que adoraram o produto, enquanto outros veem os anúncios e só querem criticar produtos. E é com este último grupo que temos de ter cuidado. Se visualizar algum comentário negativo no seu anúncio, exclua-o, oculte ou responda, mas jamais deixe um comentário desses por responder. Isso porque os outros usuários acabam por visualizar o comentário e podem não sentir confiança para comprar o seu produto devido a esse comentário negativo. E, com menos cliques, o seu anúncio acaba por tornar-se mais caro. Resolva os problemas com os *haters* o quanto antes, pelo bem da sua carteira.

11. Não tem site ou o seu site não converte? Faça anúncios para Messenger, WhatsApp, Direct ou telefone

Algumas pessoas ainda acreditam que para vender um produto online é necessário ter um site. Se você é uma dessas pessoas, tenho uma boa notícia para você: não, já não é necessário ter um site para fazer vendas online. Inclusive, existem negócios que faturam milhões usando apenas canais de comunicação como o WhatsApp ou o Messenger. Por isso, considere usar alguns desses canais no seu negócio caso o seu site não esteja trazendo vendas.

12. Atenção a vídeos sem legendas

Como já vimos anteriormente, a maioria dos usuários ouvem vídeos sem som no Facebook e no Instagram. Se for fazer um anúncio em vídeo, tente inserir legendas ou criar um vídeo que possa ser entendido sem necessidade de ativar o som. Você pode editar o seu vídeo e colocar legendas usando o InShot. Se tiver iPhone e quiser que ele gere legendas enquanto grava o vídeo, pode usar o app Clips. Já no Android, o app que faz isso é o Autocap.

13. Os públicos mais próximos rendem sempre melhores resultados

Já falamos aqui de públicos personalizados e vimos como eles podem ser poderosos. Se já tem possibilidade de criar esses públicos, recomendo que comece a anunciar para eles em vez de explorar os interesses. Devido à proximidade, esse tipo de cliente torna-se mais propício a comprar os seus produtos.

14. Use a Biblioteca de Anúncios do Facebook para se inspirar

O Facebook tem uma ferramenta extremamente poderosa que muita gente não usa. Estou falando da Biblioteca de Anúncios. Com ela é possível ver quais anúncios estão ativos no Facebook e Instagram neste momento. Você pode usá-la para ver os anúncios dos concorrentes, por exemplo. Basta pesquisar no Google por *Biblioteca de Anúncios do Facebook* que o primeiro resultado será o da ferramenta do Facebook.

Lembrando que ela apenas mostra os anúncios ativos das contas. Se um anúncio foi feito mas ele não está ativo, nada aparecerá.

Resumo

REGRAS PARA AUMENTAR O SUCESSO DOS SEUS ANÚNCIOS

1. Use chamadas para a ação
2. Realce o benefício
3. Elimine objeções
4. Simplifique o seu texto
5. O mais importante vem primeiro
6. Cores complementares
7. Quebre padrões
8. Seja específico
9. Utilize vários objetivos de campanhas
10. Fique atento aos comentários
11. Não tem site ou o seu site não converte? Faça anúncios para Messenger, WhatsApp, Direct ou telefone
12. Atenção a vídeos sem legendas
13. Os públicos mais próximos rendem sempre melhores resultados
14. Use a Biblioteca de Anúncios do Facebook para se inspirar

👍 Curtir   💬 Comentar   ↪ Compartilhar

17
GERENCIADOR DE NEGÓCIOS: COMO FUNCIONA?

Há alguns anos, o Facebook decidiu introduzir uma forma muito mais simples de profissionais gerenciarem as várias contas de anúncios e páginas. Ele chamou isso de Business Manager, ou Gerenciador de Negócios. Esta é uma plataforma na qual você pode gerenciar todo o seu negócio do Facebook sem precisar aceder sequer à sua conta pessoal. A partir dela, você pode criar anúncios, gerenciar páginas e dar acessos a outras pessoas. Antes de explicar como funciona, é necessário alertar que o Business Manager não é obrigatório. Pode continuar a criar anúncios e fazer o gerenciamento de tudo a partir do método mais comum, que é o seu perfil. No entanto, se gerencia várias páginas, contas de anúncios ou quer ir para um outro patamar no que tange a anúncios de Facebook e Instagram, o Business é extremamente importante.

O Business é como se fosse uma Central, em que o seu Business vai gerenciar outros Business. Confuso? Veja esta imagem:

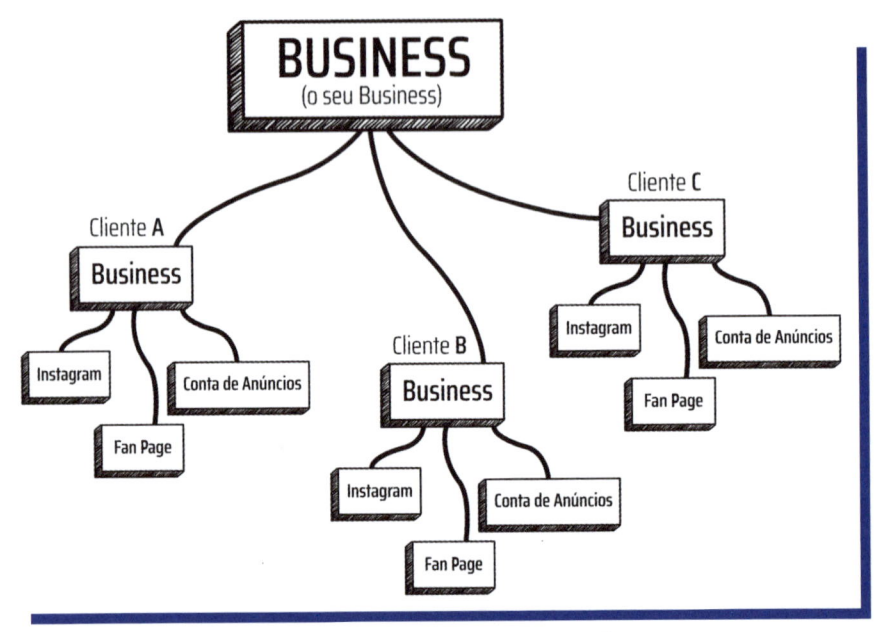

144. EXEMPLO DO GESTOR DE NEGÓCIOS

A partir do seu Business, você gerencia os Business de outras pessoas. E depois, dentro desses Business do cliente, estará tudo o que é dele, como a Fan Page, o Instagram, a conta de anúncios etc.

Veja como está o meu:

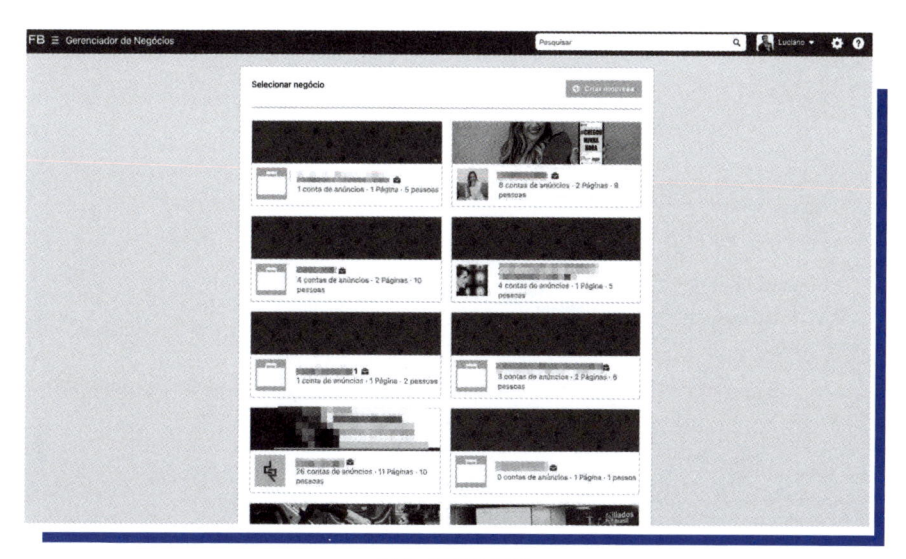

145. BUSINESS

Entrando em cada um deles, eu tenho acesso a tudo do meu cliente: página de Facebook, Instagram, conta de anúncios, entre outras coisas.

Veja aqui o Business do cliente que fica dentro do meu Business:

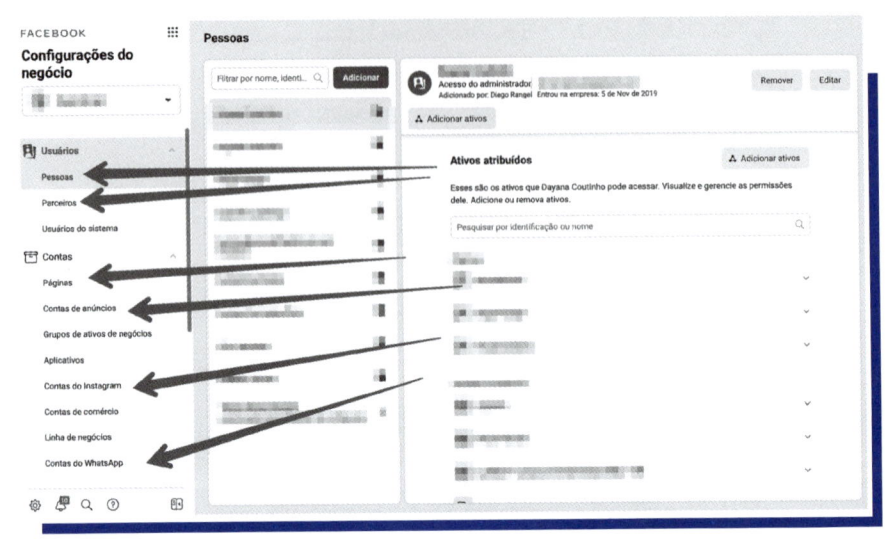

146. BUSINESS — FUNÇÕES PRINCIPAIS

Esses locais apontados são os mais importantes do Business. Vamos falar sobre cada um deles a seguir:

- **Pessoas:** aqui você pode adicionar pessoas ao seu Business. Basta inserir o email de uma conta do Facebook e essa pessoa será adicionada ao Business. O passo seguinte é definir se essa pessoa terá acesso a páginas ou contas de Instagram e quais serão.

- **Parceiros:** funciona da mesma forma que o anterior, mas aqui você precisa adicionar o ID do Business. O ID do Business é um número único que cada Business tem e você o consegue no URL do seu Business.

- **Páginas:** aqui você adiciona páginas de Facebook. Pode adicionar as suas próprias páginas ou de terceiros.
- **Contas de anúncios:** aqui você adiciona contas de anúncios suas, de terceiros ou pode criar contas novas.
- **Contas de Instagram:** aqui você adiciona contas de Instagram suas ou de terceiros. Quando o Business é novo, ele demora alguns dias para permitir contas novas de Instagram.
- **Contas de WhatsApp:** aqui você adiciona contas de WhatsApp suas ou de terceiros. Lembrando que aqui é necessário ser WhatsApp Business.

O Business tem outros detalhes que não são tão importantes assim, e, para ficar mais simples para você, vamos focar apenas as opções mencionadas.

Agora que você já entendeu o que é o Business e para que serve, vou explicar o que deve fazer perante vários cenários. Fiz um checklist do que precisa fazer para começar a usar o Business conforme a sua situação atual:

Cenário 1: Você vai fazer os seus próprios anúncios

- **Passo 1:** Crie sua conta em business.facebook.com
- **Passo 2:** Adicione o Business à sua página de Facebook, à sua conta de Instagram, à sua conta de anúncios e ao seu WhatsApp Business.

Pronto, o seu Business está criado e você pode começar a anunciar.

Cenário 2: Você tem um negócio mas quer delegar os anúncios a um gestor de tráfego

- **Passo 1:** Crie sua conta em business.facebook.com
- **Passo 2:** Adicione o Business à sua página de Facebook, à sua conta de Instagram, à sua conta de Anúncios e ao seu WhatsApp Business.
- **Passo 3:** Peça o ID do Business ao seu futuro gestor e adicione-o ao seu Business. Faça isso clicando em Parceiros. Aqui, muito cuidado para não colocá-lo como administrador de tudo. Dê a ele acesso como Editor das Páginas e das Contas de Anúncios, mas não como Administrador.

Pronto, ele agora poderá anunciar no seu Business.

Cenário 3: Você é gestor de tráfego e quer ser adicionado ao Business do cliente

- **Passo 1:** Crie sua conta em business.facebook.com
- **Passo 2:** Se ele já tiver o Business bem configurado, pule para o Passo 3. Mas, caso não tenha, faça uma ligação via Zoom com o seu cliente e mostre como ele pode adicionar a página de Facebook, a conta de Instagram, a conta de anúncios e o WhatsApp dele ao Business.
- **Passo 3:** Copie o seu ID, forneça-o ao cliente e mostre como ele pode lhe adicionar como Parceiro.

Pronto, agora você consegue gerenciar tudo do seu cliente a partir do seu Business.

O Business pode parecer algo complexo, mas, se você entender que é apenas uma *casa* que guarda vários ativos como páginas e contas de anúncios, tudo ficará mais fácil.

18

O QUE EU FARIA SE...

O que ensinei até aqui foi a parte técnica. Ensinei como apertar botões e criar suas campanhas corretamente. Se estivesse ensinando você a jogar tênis, provavelmente teria ensinado como fazer o gesto técnico e acertar as bolinhas nas primeiras vezes. Porém, para ganhar de alguém, agora você vai precisar saber como jogar estrategicamente. A técnica não basta.

Neste capítulo ensinarei quais as melhores estratégias para trabalhar conforme o tipo de negócio que você tem. Depois é só pegar essas estratégias e aplicar no seu negócio.

TIVESSE UM NEGÓCIO LOCAL

Os negócios locais só precisam fazer uma coisa: capturar contatos. A única grande diferença que pode existir entre os negócios é se essa captura será por email ou por meio de mensageiros, como o Messenger ou WhatsApp.

Vamos a um exemplo. Na minha escola de balé já identificamos que o nosso funil de vendas é pelo Messenger. É por lá que as vendas surgem. Já para um outro cliente que tive, que era dentista, a captura de contatos só funcionava por meio de Páginas de Captura.

Então, para negócios locais, existem alguns caminhos:

1. Messenger (Objetivo Mensagens)
2. WhatsApp (Objetivo Mensagens ou Tráfego)
3. Capturar contatos a partir da Página de Captura (Objetivo Conversão)

Não há muito por onde fugir. Agora, existe um pequeno segredo na segmentação de negócios locais. É a estratégia de não inserir interesses quando fizer o seu anúncio. Ou seja, deixar o seu anúncio apenas com a segmentação mais básica: localização, gênero e idade. Mas… qual o motivo disso?

Em negócios locais, quando você coloca interesses, o público tende a ficar demasiado segmentado, o que encarece o seu anúncio. Lembre-se do seguinte: o Facebook e o Instagram só conseguem segmentar para quem demonstrou interesse em algo, correto? Então, isso significa que, se você segmentar por interesses, o seu anúncio só chegará para essas pessoas. Isso é ruim? Não se você tem milhares delas! Mas, segmentando localmente, isso pode ser péssimo.

Vamos a um exemplo: imagine que você dá aulas de squash. Quantas pessoas na sua cidade demonstraram interesse em squash? Poucas, certamente. Quando você segmenta, fala só para essas pessoas. Agora, pense também em quantas pessoas poderiam ter interesse em squash mas nunca demonstraram isso para o Facebook e o Instagram? Certamente são milhares!

Quando você retira interesses, abre mais o leque. Sei que pode parecer algo um pouco maluco, mas dá muito certo. A única exceção a essa situação são cidades enormes como São Paulo ou Rio de Janeiro. Nestas, mesmo segmentando, provavelmente você continua com centenas de milhares.

No seu negócio local, algo fundamental é juntar os anúncios de Facebook e Instagram aos de Google. Google Ads são fundamentais no negócio local.

TIVESSE UM E-COMMERCE

Se você tem um e-commerce, precisa trabalhar bastante os anúncios com o objetivo de conversão.

Para trabalhar corretamente esse objetivo você precisa:

- Ter o Pixel corretamente instalado no seu site.

- Criar conversões personalizadas.
- Criar conversões para cada fase do funil do potencial cliente (visita na página, adição ao carrinho, checkout e compra).

Algo fundamental para você que tem e-commerce é ter uma boa loja online. Acho interessante como muitas pessoas que começam a sua loja online ficam preocupadas em poupar no investimento do seu e-commerce. A sua loja é o principal canal: se ela não for boa, todo o resto não vai funcionar. Você pode fazer o melhor anúncio do mundo, se ele for para uma loja que não está preparada para converter, não obterá grandes resultados. Aqui vão algumas plataformas profissionais que você pode usar sem precisar investir grandes quantias de dinheiro:

- Shopify
- Woocommerce
- PrestaShop
- Nuvemshop
- Magento

Outra coisa que você precisa dominar se tem e-commerce são os catálogos de produtos do Facebook. O catálogo de produtos será responsável por armazenar todas as informações de produtos da sua loja. É como se fosse sua loja dentro do Facebook. Porém, o Facebook não faz a venda direta. Ela exibe as informações quando você cria os seus anúncios.

VENDESSE PRODUTOS DIGITAIS

É das áreas que mais domino. Produtos digitais são cursos, ebook ou mentorias nos quais o aluno pode aprender online mediante a leitura de um livro, assistindo a aulas gravadas ou participando de aulas ao vivo. Este livro já foi um produto exclusivamente digital. Em 2012, lancei a primeira versão dele e vendia apenas no formato de PDF por meio do meu blog. Só alguns anos depois é que ele começou a ser vendido por uma editora.

A venda de produtos digitais acontece, muitas vezes, mediante uma Página de Vendas. Esta é o local onde o potencial cliente vai saber mais sobre o produto. Se quiser ver o exemplo de uma Página de Vendas, acesse este link:

https://cursos.lucianolarrossa.com/googleads/

Nessa página, você tem duas opções: ou compra o meu curso de Anúncios de Google ou sai da página.

Se você tem um produto digital, o melhor objetivo é o de conversão. Fará anúncios de conversão levando os potenciais clientes para a Página de Vendas. A sua métrica principal é quanto está custando conseguir cada aluno novo. Os produtos digitais têm uma vantagem muito grande: eles permitem margens maiores.

TIVESSE QUE CAPTURAR EMAILS

Existem dois caminhos para capturar emails: Página de Captura ou Formulário do Facebook.

A Página de Captura/Landing Page dá mais trabalho. Você precisa criar a página, integrá-la com uma ferramenta de email marketing e aprender a fazer anúncios de conversão. Felizmente, hoje em dia, fazer uma Página de Captura está bem mais fácil do que era há alguns anos. Existem ferramentas que podem ajudar nessa tarefa. Confira uma lista das que recomendo:

- Elementor
- Landingi
- Unbounce
- Instapage

A grande vantagem da Página de Captura é que ela contém mais informação do que o formulário de cadastro do Facebook. Isso faz com que sua qualidade do contato seja bem melhor do que a do formulário.

Já o Formulário do Facebook é bem mais prático. Com o objetivo de gerar cadastro, o usuário ao clicar no anúncio abre um formulário dentro do próprio Facebook. Por ser rápido e simples, ele tende a ter contatos mais baratos. Porém, eles são bem menos qualificados.

Eu gosto de usar anúncios de geração de cadastro apenas para público quente. De resto, uso sempre Landing Pages.

PRECISASSE TRABALHAR O BRANDING DE UMA MARCA

Trabalhar o branding de uma marca é, talvez, uma das tarefas mais fáceis no que tange a anúncios de Facebook e Instagram. Isso porque quem está preocupado com branding não está, pelo menos num primeiro momento, preocupado com conversão. Então, o único objetivo de quem faz o anúncio é alcançar o máximo de pessoas pelo custo mais baixo possível.

Para conseguir isso, existem três objetivos no Facebook:

- Alcance
- Envolvimento
- Visualizações de vídeo

Aí, cabe a você testar e ver qual deles traz um melhor retorno a um custo mais baixo. Quando a intenção é tornar uma marca mais conhecida, o seu objetivo passa por conseguir ter o CPM mais baixo possível. Portanto, essa será certamente uma das suas métricas principais a olhar nos relatórios!

19 GLOSSÁRIO DE ANÚNCIOS: QUAIS VOCÊ PRECISA DOMINAR?

O mundo dos anúncios é repleto de termos diferentes e complexos para quem está começando. Se você chegou até aqui no livro, acredito que esteja iniciando no tópico de anúncios pagos. Para ajudá-lo nesta jornada, separei alguns dos termos mais usados no mundo dos anúncios para que você possa compreender melhor todo esse mundo novo. Vamos à lista!

Impressões: quantas vezes um determinado anúncio apareceu para as pessoas.

Alcance: quantas pessoas o seu anúncio alcançou. Costuma ser confundido com impressões, mas são coisas diferentes. Alcance avalia quantas pessoas alcançou, já as impressões avaliam quantas vezes o anúncio foi impresso para essas mesmas pessoas. O número de impressões será sempre igual ou maior do que o número de pessoas alcançadas.

Budget: termo usado em inglês para orçamento. Quando perguntarem *qual o budget da campanha* é porque querem saber *qual o valor que será investido na campanha*.

Campanha: meio pelo qual você começa criando o seu anúncio. Nele você define o objetivo da campanha e o orçamento para ela.

CPC: significa custo por clique. É quanto está pagando por cada clique no seu anúncio.

CPA: custo por aquisição. É quanto você está pagando para adquirir um novo cliente.

CPM: custo por mil impressões.

Conjunto de Anúncios: área da campanha em que você define onde o seu anúncio vai aparecer e para quem. Antecede a criação do anúncio.

Conversão: quando alguém chega numa Página de Obrigado, seja ela após uma compra ou captura de contato.

Conversão Personalizada: é uma funcionalidade do Facebook que permite mensurar quando conversões estão acontecendo no seu site ou página específica.

Frequência: média de vezes que o seu anúncio foi mostrado para uma determinada audiência.

CPL: custo por lead. É o valor que você está pagando por cada lead (contato).

Gerenciador de Anúncios: área na qual você gerencia os anúncios.

Gerenciador de Negócios: área na qual você gerencia seus anúncios, suas páginas de Facebook, de Instagram etc.

Pixel: código para ser introduzido no site, Página de Vendas ou Página de Captura para conseguir mensurar as conversões.

Público personalizado: todos os públicos criados com base em audiência que já conheciam você previamente, como lista de email, engajados no Instagram e no Facebook ou que visualizaram seus vídeos, entre outros.

Público semelhante: tendo como base o público personalizado, é possível dizer ao Facebook e Instagram para procurarem usuários semelhantes. O nome desse público é público semelhante.

Público salvo: público que salva os interesses para usar rapidamente na criação de novas campanhas.

Otimizar: é o ato de fazer mudanças na sua campanha para que ela baixe o custo do seu objetivo. Exemplo: se está fazendo uma captura de mensagens, você vai otimizar a campanha para que o seu custo por mensagem diminua.

Orçamento da campanha: valor que você tem para investir na campanha.

Thruplay: é uma métrica do Facebook que considera 15 segundos uma visualização de vídeo. Quando a sua campanha otimizar para Thruplay significa que ela está criando condições para usuários que vão visualizar, pelo menos, 15 segundos do seu vídeo.

Bônus

Agora que já falamos sobre anúncios, chegou o momento de vermos alguns outros detalhes que podem ser importantes nos anúncios e no seu sucesso futuro. Decidi escrever este capítulo como bônus, mostrando alguns aplicativos que uso e que recomendo para você.

Parte 3

20 APLICATIVOS PARA UTILIZAR NAS SUAS REDES SOCIAIS

Trabalhar com o gerenciamento de redes sociais é uma tarefa cada vez mais desafiante. E eu sei que você, como empresário, deve ter pouco tempo disponível e por isso decidi separar alguns aplicativos e ferramentas que vão poupar tempo e impulsionar os seus resultados.

1. Estúdio de Criação

O Estúdio de Criação é uma ferramenta do próprio Facebook para fazer agendamentos dos seus posts para Facebook e Instagram. Pode agendar imagens e vídeos para o feed ou para o IGTV. Infelizmente, no momento que escrevo este livro, não é possível fazer um agendamento para os stories.

2. Social Blade

Uso ela para acompanhar se o meu Instagram e YouTube têm aumentado seguidores e inscritos, respectivamente. Excelente ferramenta para ver métricas.

3. Apptuts.bio

Uma ferramenta poderosa para inserir vários links num link só. Uso ele na minha bio do Instagram.

4. InShot

A minha ferramenta de eleição para edição de vídeos. Uso no meu celular e edito por ela vídeos curtos para postar nas redes sociais. Foi com ela que editei um dos vídeos que mais vendeu até hoje. Outra ferramenta para edição de vídeo bastante poderosa é o VLLO.

5. Canva

A ferramenta do momento quando o assunto é edição de imagem. Ele funciona tanto no celular como no computador. Você pode começar editando uma imagem no celular e terminar de editá-la no computador. Além disso, a ferramenta é extremamente simples de mexer.

6. Caption Writer

Uso este app para escrever as legendas dos meus posts do Instagram. Ela permite que escreva textos maiores sem ter qualquer problema de espaçamento entre as frases, um problema bastante comum no Instagram.

7. Easysnap

Está se sentindo com olheiras ou não está com uma cara boa para gravar vídeos? O Easysnap vai ajudar você! Ele retira olheiras, coloca seus dentes brancos, melhora seu tom de pele e muito mais! Este app é ideal para quando você precisa gravar um vídeo e quer usar um filtro especial.

8. Evernote

Os tempos passam mas não deixo o meu elefante (o segundo nome do Evernote) de lado. É nele que anoto todas as minhas ideias de conteúdo e anúncios. Recomendo que você tenha também um bloco de notas. Pode ser o Evernote ou outro qualquer, mas não deixe de anotar suas ideias de conteúdo e anúncios!

9. Streamyard

A ferramenta que uso para dar as aulas ao vivo todas as terças-feiras no meu YouTube! Ela funciona superbem e me permite transmitir em três locais ao mesmo tempo: YouTube, página de Facebook e grupos de alunos da mentoria.

10. Google Alerts

Quer receber um aviso cada vez que alguém falar o nome da sua empresa na internet? O Google Alerts faz isso por você! Basta pedir ao Google para lhe avisar cada vez que uma determinada palavra for escrita na internet (o seu nome, neste caso) e pronto, você poderá monitorar possíveis haters, elogios ou críticas sobre o seu trabalho.

11. Anúncios

Este app do Facebook permite que você veja como está a performance das suas campanhas. A partir dele você consegue ver quantas vendas ou mensagens está recebendo, qual anúncio está trazendo melhor retorno etc. Recomendo que baixe este app e use-o para monitorar as suas campanhas. Mas não use para criar campanhas, pois ele é bastante limitado.

12. Facebook Business Suite

O app do Facebook para publicar e agendar o seu conteúdo na Fan Page. Ele também permite que responda a mensagens do Facebook e Instagram, faça anúncios e veja estatísticas dos seus posts. Assim como o app anterior, recomendo que use este apenas para conferir dados, mas não crie anúncios por meio dele.

13. WhatsApp Business

Você precisará deste aplicativo para usar a versão Business do WhatsApp.

21
GESTOR DE TRÁFEGO: A PROFISSÃO DO FUTURO

Durante os últimos meses, a profissão de gestor de tráfego tem sido cada vez mais requisitada. Com a queda do alcance orgânico das redes sociais e com o crescimento da venda de cursos online, as empresas passaram a necessitar cada vez mais de gestores de tráfego.

Isso tem gerado uma demanda muito grande, não só da formação de novos profissionais como também de empresas pesquisando por gestores de tráfego para o seu negócio.

Como trabalho nesta área desde 2013, abordarei, neste capítulo, algumas das principais dúvidas que as pessoas deixam tanto no meu Instagram como no meu YouTube. Ao longo do capítulo vou falar para você:

- O que é um gestor de tráfego?
- Como trabalhar com tráfego pago?
- Quanto ganha um gestor de tráfego?
- Devo aceitar todos os trabalhos como gestor de tráfego?
- Como contratar um gestor de tráfego?
- Qual o melhor curso para se tornar gestor de tráfego?
- Outras dúvidas comuns sobre a profissão de gestor de tráfego (quantos clientes posso ter; se preciso entregar relatórios; se devo ter reuniões com clientes; se o gestor de tráfego paga os anúncios; entre outras).

Feito o resumo, vamos abordar cada um dos pontos agora.

O que é um gestor de tráfego?

Um gestor de tráfego é um profissional que faz o gerenciamento de anúncios pagos online. Ou seja: ele gerencia os investimentos de empresas em campanhas patrocinadas no Facebook, Instagram, Google, YouTube, Taboola e outras redes.

Ele tem uma verba mensal da empresa e, com ela, gerencia os anúncios do cliente. Além de subir campanhas, ele é responsável por analisar os relatórios das plataformas e entender se a campanha está dando retorno ao cliente ou não.

O trabalho não se resume apenas a patrocinar campanhas, mas também a entender se elas estão dando retorno para o cliente ou não, e está aí a grande diferença entre o gestor de tráfego amador e o profissional.

O amador sabe apertar os botões, mas o profissional tem sentido crítico para analisar se as campanhas estão dando resultados para o cliente e sugerir alterações.

Como trabalhar com tráfego pago?

Depois que você entendeu o que faz um gestor de tráfego, será necessário estudar sobre o tema (daqui a pouco vamos falar sobre isso) e também encontrar uma forma de conseguir clientes.

Vejamos algumas das formas de conseguir clientes como gestor de tráfego:

Crie conteúdo sobre anúncios pagos

Muitos donos de negócios acabam por querer aprender sobre anúncios. Alguns conseguem ser bem-sucedidos e continuam fazendo seus próprios anúncios; outros, não, e acabam delegando essa parte dos anúncios para o gestor de tráfego.

Ao criar conteúdo, você atrai muitos empreendedores que vão acabar entrando em contato com você e pedindo os seus serviços. Eu mesmo, no meu Instagram, recebo propostas de potenciais clientes todos os dias só por criar conteúdo.

Faça networking (muito importante!)

Conhecer outros profissionais de tráfego vai ajudá-lo a ficar conhecido no mercado. Troque ideias com eles, faça lives e participe comentando nas redes sociais deles. Além de você se tornar mais conhecido, também cria uma boa relação de amizade, o que pode gerar novos clientes. Eu mesmo, quando estou com a agenda cheia de clientes e recebo propostas, envio estes para amigos meus que fazem gestão de tráfego.

Faça anúncios

Parece meio óbvio, mas muitos se esquecem de fazer anúncios pagos para vender os seus serviços. Patrocinar conteúdo no Facebook e no Instagram ou fazer anúncios no Google para quando alguém pesquisa por gestor de anúncios ou gestor de tráfego pode ser uma excelente estratégia para conseguir seus primeiros clientes.

Quanto ganha um gestor de tráfego?

Este é um dos pontos que as pessoas mais ficam curiosas para saber: afinal, quanto posso ganhar como gestor de tráfego? A resposta a essa pergunta vem com um redondo *depende*. Assim como qualquer profissão do mundo, quanto você vai ganhar como gestor de tráfego está diretamente relacionado aos resultados que você consegue entregar. Quanto melhores forem os seus resultados, melhor pago será.

Para os meus alunos, recomendo que cobrem pelo menos o valor de R$ 500,00 mensais por cliente. Para a galera de Portugal, isso representa mais ou menos € 100 por mês.

É um valor interessante para começar a conseguir os seus primeiros clientes. A parte positiva de ser gestor de tráfego é que você consegue acumular vários clientes (já falaremos disso mais à frente). Por isso, conseguirá multiplicar essa quantia por uma boa quantidade de clientes.

Não gosto muito de tabelas, mas, para servir como orientação, criei esta:

- Gestor de tráfego iniciante: entre R$ 500,00 e R$ 2.500,00 mensais
- Gestor de tráfego intermédio: entre R$ 2.500,00 e R$ 5 mil mensais
- Gestor de tráfego profissional: entre R$ 5 mil e R$ 20 mil mensais
- Gestor de tráfego referência: + de R$ 20 mil

Lembrando que, se você quiser ser um BOM gestor de tráfego, terá que constantemente reinvestir o valor que ganha em novos cursos e mentorias, pois o aprendizado enquanto gestor de tráfego é constante e nunca para.

Devo aceitar todos os trabalhos como gestor de tráfego?

Antes de aceitar trabalhar com qualquer cliente, uma das coisas que faço é uma reunião de alinhamento, tentando analisar quais as expectativas do cliente e se realmente posso ajudá-lo.

Para entender melhor, vamos a um exemplo.

Há pouco tempo entrou em contato comigo uma rede de franquias. Eles queriam que eu fizesse a gestão de tráfego de 30 espaços da franquia. É um trabalho bem pago e desafiante, mas consumiria grande parte do meu tempo, algo que neste momento não está dentro dos meus objetivos.

Por esse motivo, rejeitei a proposta. Eu vi que não conseguiria corresponder às expectativas do cliente e recomendei o serviço para um amigo meu.

Se você quer realmente ser um bom gestor de tráfego, é importante estar alinhado com o cliente e entender se você pode ajudar ele ou não. Se aceitar qualquer tipo de trabalho, pode queimar o seu nome no longo prazo.

Como contratar um gestor de tráfego?

Se você é uma empresa e está procurando por um gestor de tráfego, existem algumas formas.

A primeira delas é jogar no Google o termo "gestor de tráfego". Verá que existem vários profissionais oferecendo os seus serviços.

Outra estratégia é entrar em sites como o AdsFreela (Adsfreela.com.br) e procurar por profissionais. Verá que vários profissionais vão concorrer à vaga da sua empresa.

Uma terceira opção seria pedir referências. Peça recomendações a outros colegas do mesmo ramo de atuação e pergunte se eles têm alguém gerenciando os anúncios pagos deles.

Qual o melhor curso para se tornar gestor de tráfego?

Existem dois caminhos para se tornar gestor de tráfego. Ou você tenta aprender tudo sozinho ou procura acompanhamento de quem é mais experiente.

Quando comecei a fazer anúncios em 2013, ninguém falava sobre eles. O que tínhamos eram alguns tutoriais em inglês e com estratégias aplicadas à realidade deles. Felizmente, hoje em dia existe muito material, tanto no Google como YouTube ou redes sociais.

Quando me perguntam, recomendo que as pessoas sigam estes três passos:

- Ler este livro.
- Assistir às aulas gratuitas que tenho dado todas as terças-feiras no meu YouTube.
- Depois, se você quiser se aprofundar, pode fazer parte da minha mentoria.

Outras dúvidas comuns sobre a profissão de gestor de tráfego

Além das dúvidas deste capítulo, existem outras que exigem uma resposta mais curta e que abordarei em seguida:

Quantos clientes posso ter como gestor de tráfego?

Recomendo sempre aos meus alunos que tenham no máximo 10. Mais do que isso, você vai se complicar e fica difícil entregar resultados para todos eles.

Preciso entregar relatórios?

Eu recomendo que sim. No final do mês, envie um relatório para o seu cliente mostrando qual foi o retorno dos anúncios. Ele se sentirá mais seguro ao saber que você está acompanhando os resultados.

Devo ter reuniões com clientes?

Este é um ponto que precisa deixar bem claro desde o início. Reuniões consomem bastante tempo e podem impedir que você consiga escalar o seu negócio como gestor de tráfego.

A minha recomendação é que defina, logo no início do trabalho com o seu cliente, quantas reuniões ele pode fazer por mês.

Se não fizer isso, acredite: existirão clientes folgados querendo se reunir toda hora.

O gestor de tráfego paga os anúncios?

Existe um erro comum que muitos gestores de tráfego cometem que é o de pagar os anúncios do cliente e depois o cliente transferir esse valor para eles.

Esse é um erro que você deve evitar a todo o custo!

Os anúncios são sempre pagos pelo cartão de crédito do próprio cliente, que estará na conta dele. Lembre-se disso.

O gestor de tráfego precisa fazer contrato com o cliente?

Com certeza! Aliás: isso é algo que passo sempre para os alunos da mentoria. Um modelo de contrato para usarem com os clientes. Não confie no que foi falado, pois isso pode gerar problemas lá na frente. Um contrato evita mal-entendidos lá na frente. Quanto vai ser pago, até quando dura o contrato ou quais relatórios precisam ser enviados são algumas das coisas que devem estar no contrato com o seu cliente.

SÓ FALTA MAIS UM PASSO...

Você está pronto(a) para ter sucesso com os seus anúncios no Facebook e Instagram. Este livro dá todas as bases que você precisa para começar a fazer os seus anúncios. Porém, lembre-se que apenas a teoria jamais será suficiente. Você precisa praticar. Só ela dará total clareza sobre como ser bem-sucedido nos anúncios vendendo o seu produto.

O melhor jeito de aproveitar este livro é tendo ele ao seu lado quando subir as suas campanhas. Além das orientações técnicas, você terá também orientações estratégicas, que serão extremamente úteis para ser bem-sucedido(a).

Para se aprofundar no tema de anúncios de Facebook e Instagram, quero convidar você a entrar na minha mentoria. Lá, ajudo centenas de mentorados a melhorarem os seus anúncios. Alguns fazem anúncios para o seu próprio negócio, enquanto outros trabalham como gestores de tráfego.

Se você gostou deste livro, vai adorar as aulas semanais que ministro dentro da minha mentoria. Para garantir a sua vaga, acesse:

www.produtos.lucianolarrossa.com/mentoria/

Nos vemos em breve.

Abraço,

Luciano Larrossa